日本の名画・名品を訪ねて

旅する日曜美術館

東海・近畿・中国・四国・九州

NHK「日曜美術館」制作班［編］

NHK出版

目次

東海

東海

近畿

中国

ＮＨＫ「日曜美術館」は、一九七六年（昭和五一）の放送開始以来、あらゆる方向から美をとらえ、美術作家自身の言葉を記録し、作家や作品に向き合った多彩な出演者の声も丹念に拾い上げてきました。『旅する日曜美術館』（全二巻）は、この「日曜美術館」の蓄積をもとに、ＮＨＫアーカイブスのなかから「日本の近世以降の名画・名品」を語った珠玉のメッセージを抽出し、その内容を味わいながら、関連作品を所蔵する日本全国の美術館を訪ねました。本巻は、「東海・近畿・中国・四国・九州」の三六館への旅です。

画像を掲載した作品は、特記したもの以外は当該美術館の所蔵品です。作品の展示時期は限られている場合があります。ご注意ください。

各美術館紹介ページの冒頭には「住所」「電話番号」「代表的なアクセス」を記載しました（二〇二〇年九月時点の情報です）。「開館時間」「休館日」や「作品の展示時期」等については、各美術館へお問い合わせください。付記した《ＱＲコード》から、それぞれの美術館のウェブサイトにアクセスしていただけます。

旅する日曜美術館

日本の名画・名品を訪ねて

東海・近畿・中国・四国・九州

美の高みへと、のぼりつめる。

尾形光琳・岩佐又兵衛と MOA美術館

静岡県熱海市桃山町26-2
(〒413-8511)
0557-84-2511

代表的なアクセス
JR「熱海」駅より、東海バス
「MOA美術館」行きで約7分、
終点「MOA美術館」下車すぐ

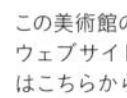

この美術館の
ウェブサイト
はこちらから

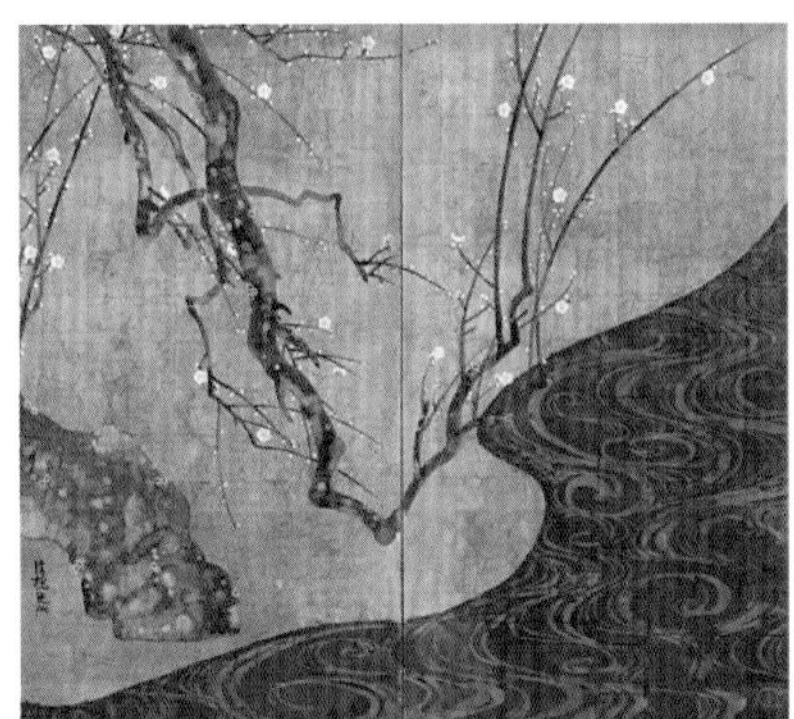

【上】〈紅白梅図屏風〉(尾形光琳、紙本金地著色、二曲一双、国宝)
【下】〈山中常盤物語絵巻〉(伝岩佐又兵衛、紙本著色、全12巻、重要文化財)の冒頭部分。右の人物は牛若丸

黒い水流と硫黄

MOA美術館の〈紅白梅図屏風〉は、〈燕子花図屏風〉（根津美術館蔵）と双璧をなす尾形光琳（一六五八―一七一六）の代表作で、いずれも国宝に指定されている。

〈紅白梅図屏風〉は二曲一双。左隻には裁ち落としで白梅の老木の根元と垂れ下がる枝が、右隻には紅梅の、これも老樹の根元から幹の上部までが描かれている。左の白梅と右の紅梅の間に、右隻から左隻へとまたがって末広がりに大胆なフォルムをみせるのが、水流だ。この水流については、黒いバックの色とそのなかの波のゆらぎのような模様をどのように描いたのか、長い間よくわからなかった。模様の部分は、型紙か糊の一種を用いて地色を残したということで研究者の意見は一致していたが、黒い川の色は、単に墨で描いたという説と、銀泊を貼った上から硫黄を用いたという説があった。

二〇一二年（平成二四）の「日曜美術館」では、東京理科大学の中井泉教授のチームが最先端機器を用い、水流の部分を調査した模様を取材。その結果、水流の部分全体に銀泊が貼られ、模様の部分だけが防染されて、他の部分は硫黄を用いた化学反応によって出された黒色であることがわかった。

調査した中井教授は次のように話す。

「この水流の黒は、まさに硫化銀、『Ag_2S』という化学式で表されます。ということは、硫黄と銀が結びついて、結晶した鉱物として存在しているわけです。この絵は、銀と硫黄をくっつければ黒になるという原理を理解した上で描かれているんですね」

（日曜美術館　二〇一二年二月五日放送）

母の面影

岩佐又兵衛（一五七八―一六五〇）は、戦国武将荒木村重の子として生まれた。父の村重が織田信長と対立し、摂津の有岡城で滅ぼされた一族はことごとく殺されたが、乳児の又兵衛は乳母とともに逃れ、京で密かに成人したといわれる。福井藩の松平家に二〇年間絵師として仕え、後に江戸に招かれ、江戸で没した。浮世又兵衛と異名をとり、浮世絵の元祖となったともいわれるが、それを裏付ける確実な作品は残されていない。

MOA美術館の〈山中常盤物語絵巻〉（重要文化財）は、岩佐又兵衛作と伝わる長大な絵巻物で、全一二巻、全長一五〇メートル。絵巻の主人公は後に源義経を名乗る牛若丸。奥州藤原氏を頼って平泉を目指す牛若丸を、母の常盤御前も追う。侍女を伴っただけの常盤は美濃の国の山中の宿で病に倒れた

〈山中常盤物語絵巻〉。奥州を目指す牛若丸を追った母の常盤は、美濃の山中で盗賊に襲われる。胸を刺され、死に至る常盤。岩佐又兵衛はその様子を詳細に描いた

上に、盗賊に襲われ、殺されてしまった。

〈山中常盤物語絵巻〉に出会って以来、長年岩佐又兵衛の研究を続けてきた美術史家・辻惟雄(つじのぶお)が、二〇〇九年(平成二一)放送の「新日曜美術館」でこの絵巻の見方を語った。

「これ(常盤)が又兵衛の母になっている。一つの解釈ですが、そうでなくては、こんな、非常に集中した緊迫感のある場面は描けなかったと私は思います。切実な場面を描いているうちに、又兵衛の頭のなかには、自分の母親が、自分が生まれて間もなく罪もないのに首を切られて殺されたという思いが、あったのではないか。それが、この絵巻に出てきてしまったのではないかと私は思うのです」

(新日曜美術館　二〇〇九年二月一五日放送)

美術館を旅する

山の上の宮殿

長い長いエスカレーター。MOA美術館を訪ねたことのある人には、これですぐに通じる。階段にすれば数百段はありそうな三本の長いエスカレーターでトンネルを上がって行くのだ。どこまでのぼるのだろうと思い始めた頃に、円形ホールにたどり着く。リニューアルした二〇一七年二月から、この円形ホールの天井には万華鏡が登場した。円形のドーム型

【右】〈自画像〉（岩佐又兵衛、紙本著色、一幅）
【中】【左】〈柿本人麿・紀貫之図〉（岩佐又兵衛、紙本墨画、双幅）

天井いっぱいに次々に変化する万華鏡は見ものである。

円形ホールからエスカレーターをもう一つ上がると、やっと屋外に出る。左手は一望の海、熱海の街は崖下に隠れ、初島がすぐ目の前に見えた。非常に高いところに来たことがわかる。右には見上げる高さにMOA美術館の建物。形の違う横長で長方形の二棟の建物が、中央で連結しており、その真ん中に向かって広い淡いピンクの石段がつながっている様子は、現代の宮殿でも見るような趣である。石段の両側の斜面は広い芝生のスペースになっていて、ここで薪能が行われる夜がある。篝火の燃えるなか、夕暮れの相模湾の海を足もとに、芝生に腰かけてシテの声に聴き入る時間は、まさに幽玄の世界だ。

MOA美術館で嬉しいのは、充実した常設展示である。尾形光琳の〈紅白梅図屏風〉と野々村仁清の〈色絵藤花文茶壺〉（一七世紀）の両国宝をはじめ、伝本阿弥光悦の〈樵夫蒔絵硯箱〉（一七世紀／重要文化財）、中国絵画の〈樹下美人図〉（八世紀／重要文化財）などのように、よく知られた作品が待っていてくれる。長いエスカレーターでのぼって行く甲斐があるというものだ。

美の高台に建ち、幅広いジャンルと時代のコレクションを有する館のふもとには、千年を超える歴史を刻んできた温泉地がひろがっている。

人間国宝の情熱に打たれる。

静岡市立
芹沢銈介美術館

静岡県静岡市駿河区登呂5-10-5
(〒422-8033)
054-282-5522

代表的なアクセス
JR東海道本線「静岡」駅から
しずてつジャストラインバスで約12分、
「登呂遺跡」下車、徒歩４分

この美術館の
ウェブサイト
はこちらから

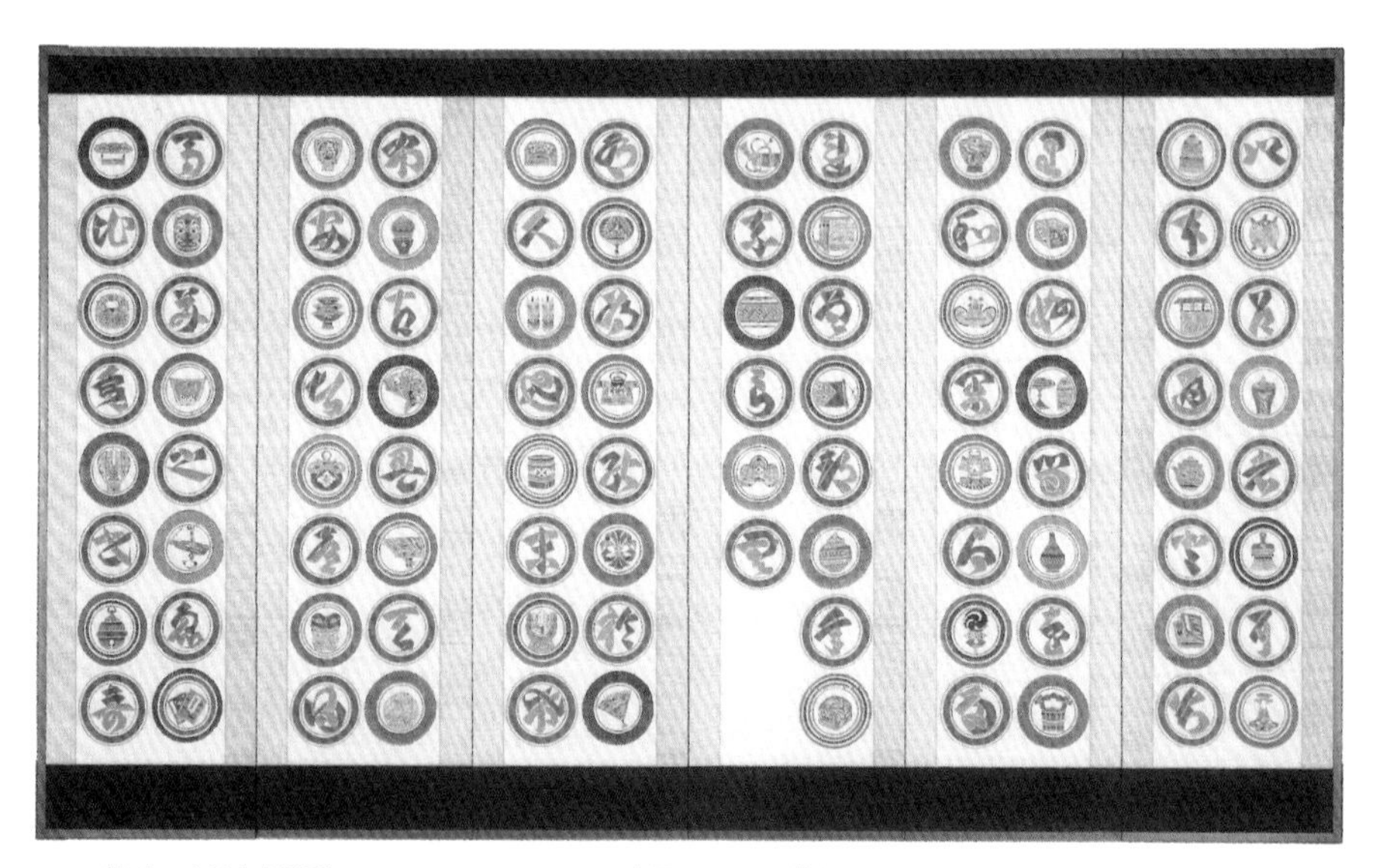

〈丸文いろは六曲屏風〉(芹沢銈介、1963年、紬地型絵染)。１行目(右端)には、「以」(い)の下に糸巻、「呂」(ろ)の下に蠟燭(ろうそく)、「者」(は)の下に刷毛(はけ)、「尓」(に)の下に人形。2行目は、「本」(ほ)の上に箒(ほうき)、「遍」(へ)の上に塀、「登」(と)の上に土瓶、「知」(ち)の上に帙(ちつ／ふみづつみ)……。このように、仮名文字の音を頭文字に冠する日本の民藝品が配されている

芹沢さんの「自在」

芹沢銈介は一八九五年（明治二八）、静岡市に生まれた。一九一六年（大正五）、東京高等工業学校（現・東京工業大学）工業図案科卒。二七年（昭和二）、柳宗悦の論文「工藝の道」を読んで以後、柳を師と仰ぐ。翌年の博覧会で出会った沖縄の紅型に感動して、染色の道を志す。三九年、柳や河井寛次郎、濱田庄司らと共に沖縄を訪問。五五年、芹沢染紙研究所を設立。五六年、芹沢の型絵染が重要無形文化財に指定され、芹沢は人間国宝に認定。その後、大原美術館の工芸・東洋館の設計を担当。パリのグラン・パレで開催した「Serizawa」展は大きな反響を呼ぶ。八一年の静岡市立芹沢銈介美術館の開館に際しては、自らテープカットを務めた。同年、フランス芸術文化功労章受章。一九八四年（昭和五九）没。

一九八三年放送の「日曜美術館」で、版画家の池田満寿夫が語った。

池田満寿夫　最初の出会いは二〇年くらい前、本でしたね。それから、挿絵とか。しかし、僕が本当に芹沢さんの作品に打たれたのは、アメリカにいた時です。僕はアメリカに長くいましたが、アメリカにいることでかえって、日本の良さというものを非常に強く感じました。芹沢さんの日本的なものに、新鮮な、一種の驚きみたいなものを感じたのです。「縄のれん」をデザインした作品を見た時に、僕は笑い出したくなるくらい驚いた。縄を垂らした「縄のれん」を、絡み合わせた絵にしてデザインしたことに、僕はウーンと唸りましたね。そのうまさに。

芹沢銈介の記録映像が紹介される。まず下絵を彫って型紙をつくる工程で芹沢が語った。

芹沢銈介　彫って抜いたところに糊が付いて、上から染めた時に染まらずに白地になるわけですよ。私の場合、彫っている間に下絵がどんどん変わっていきます。下絵のとおりに彫るのは、職人芸でね。私にとって下絵はあくまでアタリみたいなもので、仕上がりの効果を考えながら、途中で自在に変えて彫るんです。ですから、失敗してどこか取れちゃったりしても、そこで予定を変更して修正していく。

世界中から収集している多彩なコレクションについて。

芹沢　モノがね、私のところに集まってくる。そして、い

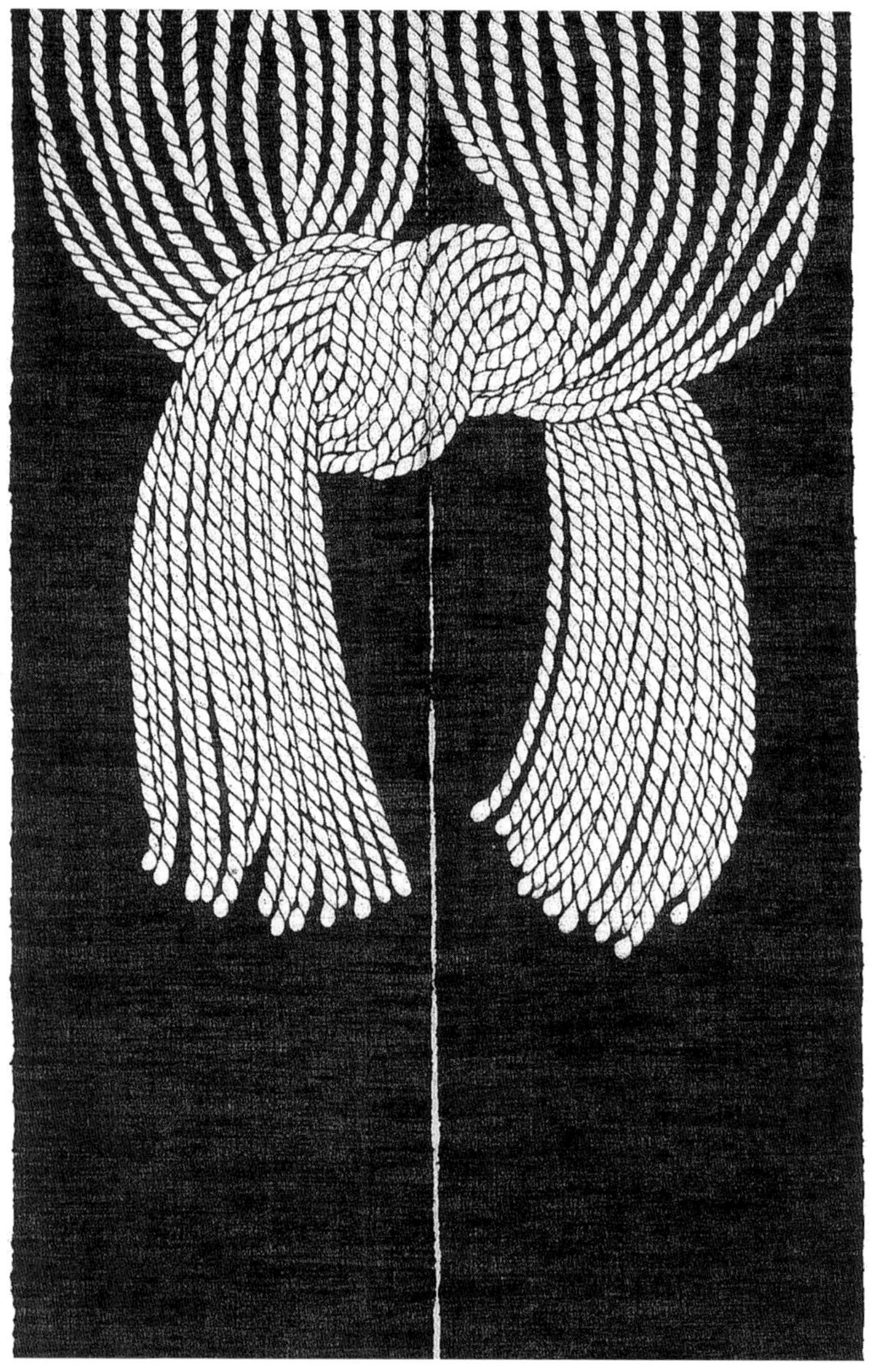

〈縄のれん文のれん〉
(芹沢銈介、1955年、木綿型染)

ろいろとおもしろい話をしてくれる。そういう気持ちで集まってきているわけですね。初めからこういうモノを集めようと、コレクターのような動機でやっているんではないんで。私を慕って、私の部屋に喜んで入って来てくれる。モノがね。功利的に図案のもとになる、というのではなくて、モノができた、つくった気持ち、その造形などが、自分の生活に勇気を与えてくれたり、寛ぎを与えてくれたり、ということはありますね。持っていることで、いつでも慰められている。だから、ある意味では作品ですね、モノと一緒に暮らすということは。

――芹沢さんのお話をお聞きになっていかがでしたか。

池田　お人柄がそのまま出ている感じで、おもしろかったですね。とくに失敗したところで、そのまま自在に変更してつくるところなど、楽しかったです。

――コレクションについても、いいお話がありましたね。池田さんの場合はいかがですか。

池田　いやあ。僕は無趣味ですね。「紺屋の白袴」なんです。二種類いるという気がしますね。芹沢さんのような方と、僕のような趣味のない男と。版画はわりに集めますが、向こうからモノがやってきてはくれませんね。

（日曜美術館　一九八三年七月三日放送）

美術館を旅する

登呂の遺跡の傍らに

ＪＲ静岡駅からバスで海のほうへまっすぐ走ると、登呂遺跡公園に着く。この遺跡公園は、復元された竪穴式住居や高床式倉庫、祭殿などが建てられているのだが、あとは特徴のない芝生の原っぱに見える。しかし、なかを歩いてみると、弥生時代の水田が再現されていたりする。バス停と反対側に見える建物が、遺跡から発掘された土器や農具などのおびただしい出土品を収める、静岡市立登呂博物館だ。では、芹沢銈介の美術館はどこにあるのか。それらしい建物はなかなか見えてこない。

標識を頼りに遺跡のなかの道を歩いて行くと、煉瓦風に綺麗に積まれた石垣の塀の前に出た。建物の屋根は見えないが、これが静岡市立芹沢銈介美術館だった。石垣の塀のなかに入り、同じ樹木が均等に植えられた小さな林のなかを通る。後で美術館の人に尋ねると、木はキンモクセイだという。林を抜けて入口に立つと、建物に囲まれた中庭にあたるところが池になっていることに気がつく。敷地に入った時から聞こえていたさわやかな音は、ここの噴水だったのである。建物は、外壁の石垣とほとんど同じ高さの平屋建てで、外からではわからないが、平たい銅版葺きの屋根に覆われていた。設計は

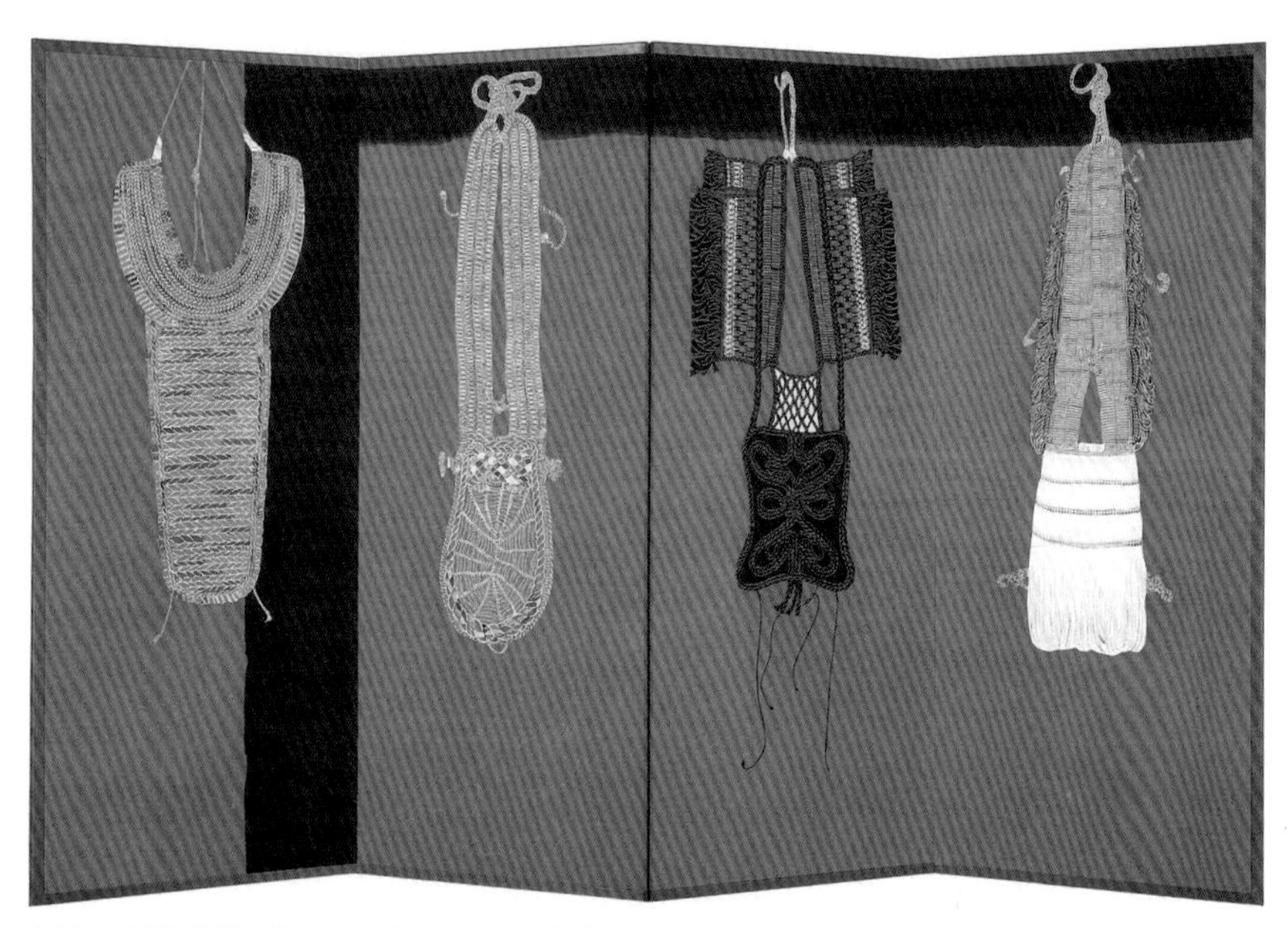

〈ばんどり図屏風〉(芹沢銈介、1957年、絹、四曲一隻)。「ばんどり」とは、山形庄内地方で荷を背負う際に使用する背中当てのこと。伝統のある農具の機能美がとらえられている

〈沖縄笠団扇文部屋着〉(芹沢銈介、1960年)。昭和30年代以降、芹沢は、大胆に文様を配置した着物を盛んに手掛けた

白井晟一（しらいせいいち）。各地で優れた美術館を設計した建築家である。

展示室は、アプローチの石と水のイメージから一転して、木のあたたかみを生かした組天井の下で、ゆったりと作品が鑑賞できるようになっている。

芹沢銈介が生涯に手がけた作品は数知れず、それこそありとあらゆるモチーフをデザインした、といっても過言ではない。日本の農具を描いた〈ばんどり図屏風〉（一九五七年）、沖縄のクバ（ビロウ）の葉でつくった笠と団扇（うちわ）を文様にした〈沖縄笠団扇文部屋着〉（一九六〇年）、李朝のやきものを描いた〈李朝の器物二曲屏風〉（一九六九年）。〈法然上人絵伝〉（一九四一年）や〈絵本どんきほうて〉（一九三七年）のような物語をあつかった作もあれば、着物から本の装丁などに至るまで、展示室にはおびただしい数の作品が展示されている。池田満寿夫を唸らせた〈縄のれん文のれん〉（一九五五年）にも出会える。

芹沢銈介という作家の、驚くべき好奇心の旺盛さ、自在な取り組み、情熱が、展示室のなかに満ち満ちている。

生涯、存分に創作活動をした作家の姿が、まるごと収められている美術館に出会えた満足感を抱いて、特色ある石垣の壁を後にする時には、芹沢銈介美術館が登呂にあるということが、いかにもふさわしいことのように思えてくる。

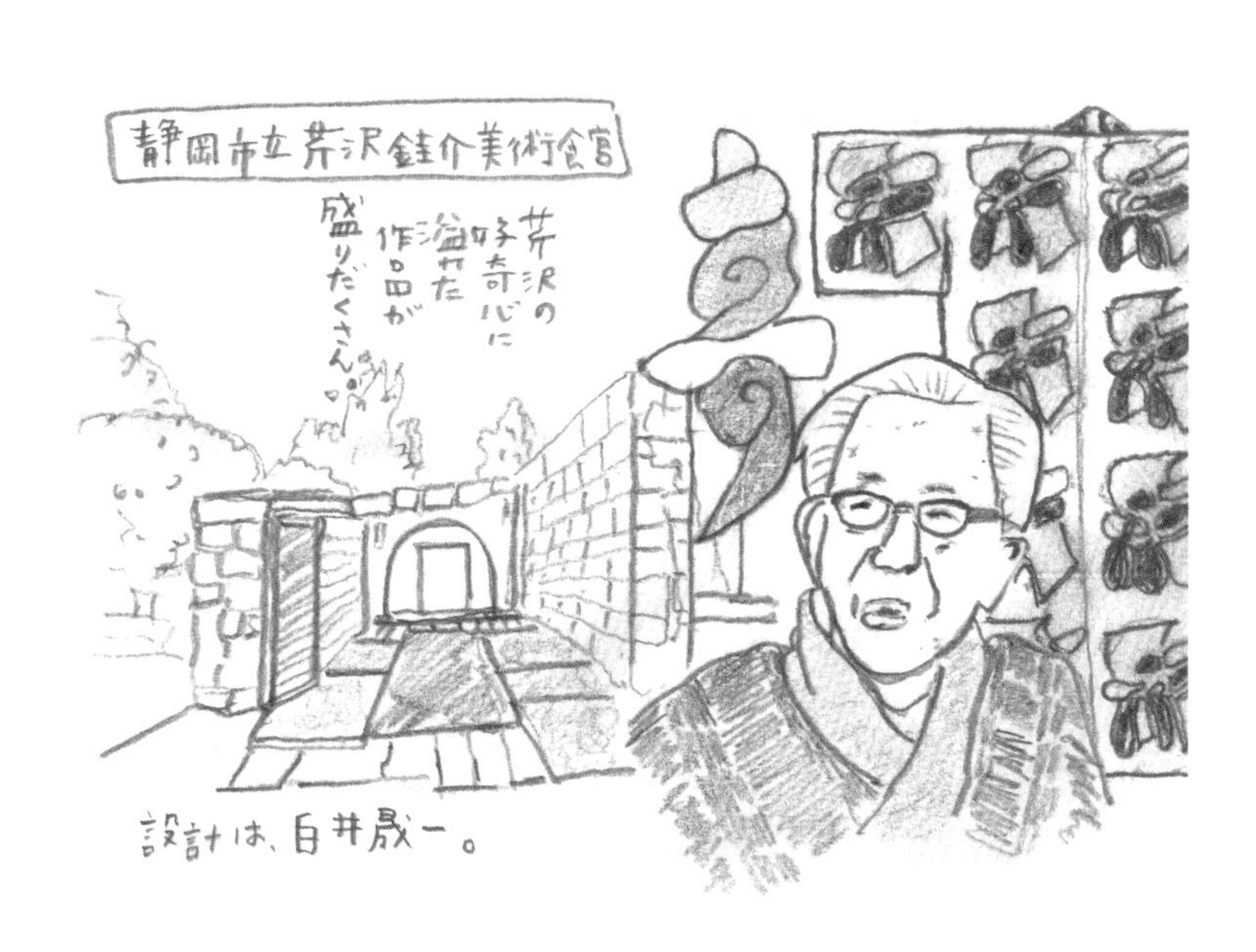

かつての本陣跡で、浮世絵に浸る。

静岡市
東海道広重美術館

静岡県静岡市清水区由比297-1
(〒421-3103)
054-375-4454

代表的なアクセス
JR東海道本線「由比」駅から
徒歩25分
あるいはタクシー５分

この美術館の
ウェブサイト
はこちらから

〈歌川広重死絵〉(三代目歌川豊国、1858年)
死絵(しにえ)とは、訃報と追善を兼ねて描かれた錦絵

峠道と、とろろ汁

歌川広重（一七九七―一八五八）は、江戸後期の浮世絵師。幕府の定火消同心安藤家に生まれ、一三歳で両親を失い、家督を相続。そのころに歌川豊広に入門して浮世絵を学び、広重の号を得ている。狂歌本の挿絵などから画壇に登場し、役者絵、美人画、武者絵なども描いた。やがて名所絵などで風景画に特色を表し、〈東海道五拾三次〉で独自の画風を確立。〈近江八景〉〈金沢八景〉〈東都名所〉〈木曽海道六拾九次〉など多くの作品を残した。晩年にかけての〈名所江戸百景〉は、彼の風景版画の集大成と呼ばれる傑作である。

一九九五年（平成七）の「日曜美術館」は、広重の代表作〈東海道五拾三次〉から、「由井」と「鞠子」に注目した。広重は一八三二年（天保三）に、幕府から御所への使節団に随行して東海道を京に上り、その体験をもとにこれを描いたといわれている。京都行きについては否定する説もあるが、ここでは従来の定説に従って、広重の旅の成果として見る。

「由井」（現在、地名では「由比」が用いられる）の一図は、手前の海岸の急峻な崖道から、東の彼方に富士山を見る、という構図である。急峻な崖は薩埵峠といい、現在では海岸に国道一号線が通っているが、地形は同じで、急な斜面には旧道とおぼしき道もある。

絵をよく見ると、画面左上に、崖道を行く三人の人物が認められる。中央寄りの二人は、道づれらしく、富士山を眺めているようだ。番組では、この二人を、「絵のなかの弥次さん喜多さん」といって、十返舎一九の『東海道中膝栗毛』の登場人物に見立てている。

一九の『東海道中膝栗毛』は、広重が五歳の頃から二五歳頃まで書き継がれて出版されていた本であったから、広重が〈東海道五拾三次〉を描くにあたって、何らかの影響を受けたと考えられるものだ。

ちなみに、『東海道中膝栗毛』の「由井」のあたりの描写は、次のようなものである。

ちやや女「おはいりなさいやアせ。名物さとうもちよヲあがりやアせ。しよつぱいのもおざいやアす。お休なさいやアせ〱」

弥二（弥次郎兵衛）「エヽやかましい女どもだ」

呼たつる女の聲はかみそりやさてこそ爰は髪由井の宿　それより由井川を打越、倉沢といへる立場へつく。爰は蚫栄螺の名物にて、蜑人すぐに海より、取来りて商ふ。爰にしばらく足を休めて　爰もとに賣るはさゞゐの壺焼や見どころおほき倉沢の宿　それより薩埵峠を打越、たどり行ほどに……

（『東海道中膝栗毛』上、岩波文庫、一九七三年）

保永堂版の〈東海道五拾三次之内 由井 薩埵嶺〉（歌川広重、1833年）。画面左側の崖道には、富士の絶景を眺める２人の旅人と、薪を背負って歩く土地の人物が、対比的に描かれている。広重は生涯に20種類以上の東海道シリーズを制作。そのうち、1834年（天保5）に完結した保永堂版は広重の出世作として知られている。保永堂は、このシリーズの版元の名である（左下は部分図）

保永堂版の〈東海道五拾三次之内 鞠子 名物茶店〉（歌川広重、1833年）。「名ぶつとろゝ汁」の看板を立てた茶店の店先が描かれている（左下は部分図）

「鞠子」（現在、地名では「丸子」が用いられる）は、当時からこの宿場の名物として知られた丁子屋（ちょうじや）のとろろ汁の場面。すでに元禄時代の俳人松尾芭蕉が、「梅わかな丸子の宿のとろろ汁」と詠んでいる名物であった。広重の絵は、とろろ汁の丁子屋を、正面からそのものズバリ描写する。店には二人の男客と、料理を運ぶ赤ん坊を背負った女、それにとろろ汁を食べたのか食べなかったのか、店を離れて先へ歩いて行く男が一人。店のそばには、芭蕉に梅の句があるせいかどうか、梅の木らしきものも見える。

店の客二人も、十返舎一九の『東海道中膝栗毛』の弥次さん喜多さんがモデルではないかとは、よくいわれることだ。『東海道中膝栗毛』の丸子の場面は、こんなふうに始まる。

足をはやめてほどなく丸子の宿にいたる。こゝにて支度せんと茶やへはいり
北八（喜多八）「爰はとろゝ汁のめいぶつだの」
弥二「そふよ。モシ御ていしゆ、とろゝ汁はありやすか」
ていしゆ「ハイ今できず」
弥二「ナニできねへか、しまつた」
ていしゆ「ハレじきにこしらへずに、ちいとまちなさろ」（前同）

「できます」が「できず」になる方言をめぐる勘違いがおかしい。この後、とろろ汁屋の亭主と女房が大喧嘩を始めてしまい、弥次喜多ともにとろろ汁どころではなくなってしまった。（日曜美術館　一九九五年六月四日放送）

美術館を旅する

東海道の記憶を歩く

旧東海道は国道一号線とおおむね重なってはいる。しかしところどころで一号線が町なかを避けバイパスになって離れるために、旧東海道は、案外に往時の面影を残しているところがある。由比宿の本陣があった由比地区もその一つだ。この本陣跡に、一九九四年（平成六）、静岡市東海道広重美術館が開館した。

ＪＲ東海道本線の由比駅から由比地区までは、旧東海道を西から東へ、三〇分ばかりの道のりである。由比今宿、由比町屋原、由比北田という地区を通り、由比川に架かる由比川橋を渡る。今宿から町屋原にかけて、町並みの両側の屋根と屋根の間に、ずっと真っ白な富士山の頂が見えている。

「由比宿」で真っ先に向かったのが、由井正雪（ゆいしょうせつ）の生家。通りに面して、どっしりと構えている。江戸時代に幕府転覆を企んだ慶安の変の首謀者、由井正雪の生まれた家は、代々紺屋を営んでいた。今でも店先に、土産物の手ぬぐいなどを置いている。

「由比宿」の本陣跡に建つ東海道広重美術館は、旧本陣の門をくぐって入る

静岡市東海道広重美術館は、正雪の生家と通りをはさんだ向かい側にある。大きな屋根つきの旧本陣の門を入り、正面は一階建ての平たい建物、その後ろは窓のない大きな三階建ての建物になっていた。入館すると、一階のほとんどが展示室になっている。収蔵品は、〈東海道五拾三次〉のいくつかのシリーズや〈名所江戸百景〉など、初代広重の代表作をはじめ、二代広重、三代広重（いずれも初代の門人）の作品を含む約一四〇〇点。まさに日本初の広重美術館を名乗るにふさわしい内容のコレクションだ。

歌川広重は、生涯で二〇種を超える東海道の揃物（シリーズ作品）を手がけたといわれるが、それらのうち次の四つがよく知られている。一つは代表作〈保永堂版〉。一八三三年（天保四）に広重が最初に手がけたもので、旅情豊かな描写が世界的に名高い。「保永堂」は版元の名だ。そして一八四一年（天保一二）頃の〈行書東海道〉と一八四九―一八五二年（嘉永二―五）に制作された〈隷書東海道〉。ともに、標題の文字の書体にちなんで命名された通称だ。四つめは一八四〇―一八四四年（天保末年）頃の〈狂歌入東海道〉。画中に狂歌が添えられている。四者四様に、街道各地の名所名物、気候の特徴や伝承を、生き生きと描き出している。

静岡市東海道広重美術館では、これらの揃物が折々の展覧会で展示される。

日本と西洋が、インドで出会う。

浜松市
秋野不矩美術館

静岡県浜松市天竜区二俣町二俣130
(〒431-3314)
053-922-0315

代表的なアクセス
遠州鉄道「西鹿島」駅より
遠鉄バス「二俣・山東」行で
「秋野不矩美術館入口」下車、徒歩約10分

この美術館の
ウェブサイト
はこちらから

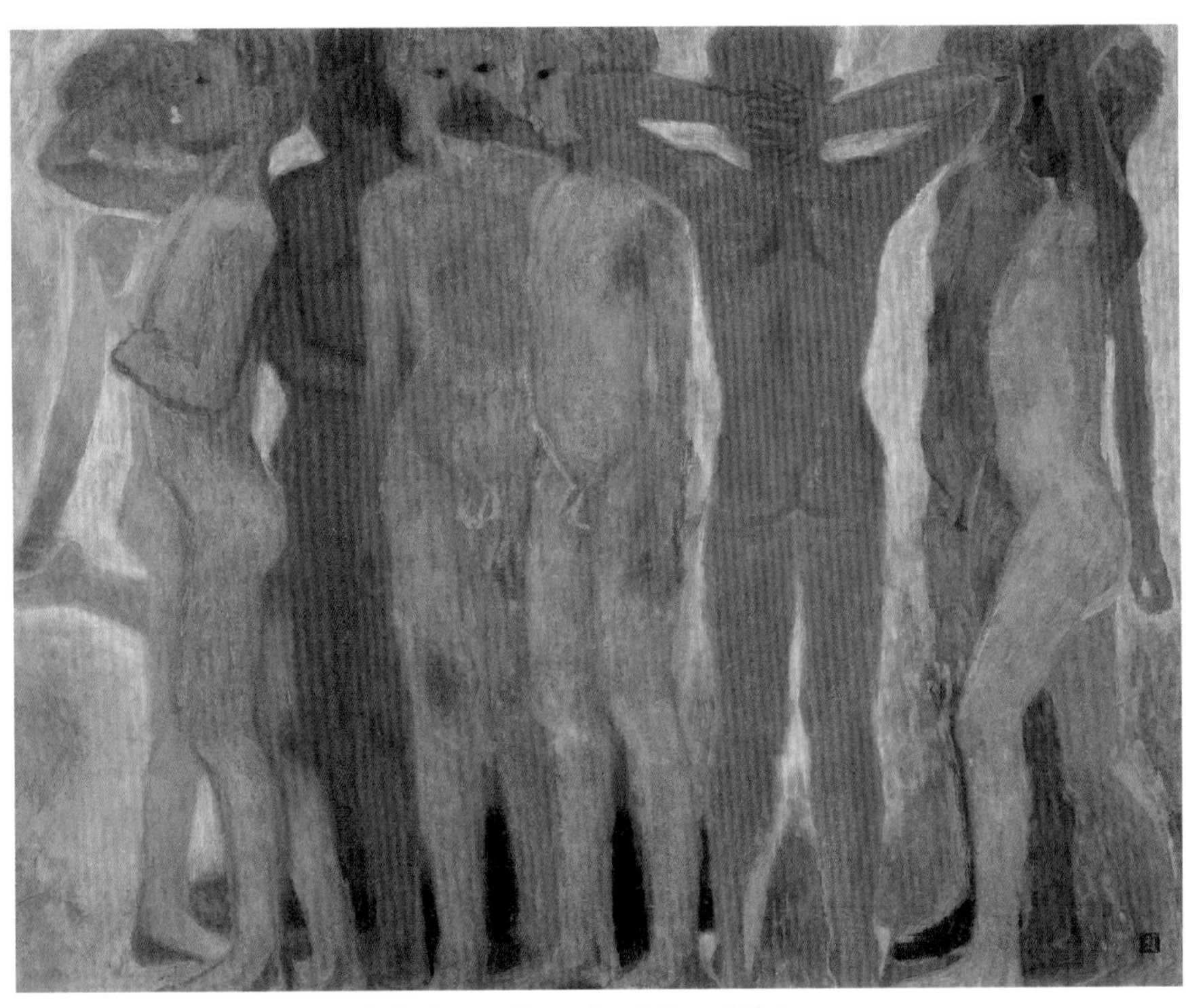

〈少年群像〉(秋野不矩、1950年、紙本著色)。自分の子供をモデルにしたこの作品は、
1951年の第３回創造美術展に出品され、第１回上村松園賞を受賞した

とても赤い赤土

秋野不矩は、一九〇八年（明治四一）、静岡県磐田郡二俣町（現・浜松市天竜区二俣町）で生まれた。二七年に石井林響に入門、次いで西山翠嶂に師事して日本画を学び、官展で入選を重ねる。四八年、創造美術（後の創画会の母体）の結成に参加。以後、上村松篁、広田多津、吉岡堅二、山本丘人ら、創造美術の創立メンバーと行動をともにした。六二年、インド東部・シャンティニケタンのビスバ・バラティ大学（現・タゴール国際大学）に客員教授として招かれ、一年間滞在。以後、インドに取材した作品を多く描き、インド訪問は一四回を数える。九九年（平成一一）、文化勲章受章。二〇〇一年（平成一三）没。

「日曜美術館」は、秋野不矩へのインタビューを二度行っている。一度目は一九九一年。秋野は、転機となった〈少年群像〉（一九五〇年、第一回上村松園賞）の頃のことを語った。当時四〇歳を過ぎて、画家としての名声が高まるなかで、悩みもあった。

「もともと絵が好きでね。もし、絵をやめていたら、やっぱりつまらなかったと思うんですよ。たとえば、病気なんかで絵が描けないで四、五日しますとね、やっぱり絵が描きたいと思うんです。絵を描くしか能がないわけですよ。ただ、本当に自分が描きたい絵じゃなくて、人にあげる絵はね、額になるとか、装飾的に綺麗な絵を描かんならんでしょ。それが残念だったと思うんです。本当に自分の好きな絵だけ描いていけなかったんです」

（日曜美術館　一九九一年七月二一日放送）

子育てもあり、生活のために売り絵も描かなければならなかった事情を語っている。本当に自分の描きたい絵が描けていないという思いがあった秋野は、官展と決別し、自由と独立の在野精神を求めた創造美術の結成に参加する。

「創造美術を結成して、宣言をして、本当に新鮮な絵を描くべきなんですが、なかなか描けなくて本当に苦しかった。子どもの群像は、前に二回くらい描いていますが、おもしろくない絵でしたの。〈少年群像〉で、やっとこういう構成に入れたんです。黄色い色が好きでね。やっとここで、いろいろな点で、ちょっと気に入った描き方に入れたなって思ったんです」

二度目のインタビューは一九九八年。秋野は、三〇年以上にわたって描いてきたインドについて語った。

「デリーなんて都会はね、東京と同じようなものでね。インドも、田舎がいいですよ。インドの田舎、村が好きでね。インド人はたいへん親しみやすい民族で、目を合わせたら、何か話しかけたいような感じがね。素朴な、質朴な農民が住んでいましてね。その村へよく行きました。

インドの建物や土が、赤土でしてね。日本にも赤土はありますけど、インドの赤土はとても赤いんです。その色が好きな色でしてね。インドの風景、家や寺を描く時、朱色の赤土を塗った家をよく描きます。私はね、今まで外国ってインドしか行ったことがありません。初めて行った外国がインドだったわけですが、インドは非常に乾燥していて、かえって健康にいいんです。私、インドに行って丈夫になりましてね。歩くのもよく歩くし、インドは私の体質によく合っています」

（新日曜美術館　一九九八年六月二八日放送）

美術館を旅する

靴をぬいで絵の前へ

秋野不矩美術館は、浜松市街から三〇キロほど北上した浜松市二俣町にある。遠州鉄道で新浜松駅から西鹿島駅まで三〇分余り、そこからバスで二〇分ほどかかる。二俣は、天竜川と二俣川との合流点で、古来、交通の要衝であった。戦国時代には、武田信玄・勝頼父子と徳川家康が激突したところだ。バスは天竜川を渡り、二俣の中心街に入って行く。バスを降りて二俣川に架かる二俣大橋を渡ると、小高い丘の上に、美術館の裏側が見えてくる。橋を渡ってすぐ、道端の大きな石に「浜松市秋野不矩美術館」という石のプレートがはめ込まれた道標があり、そこから見上げる美術館は、どこか、ヨーロッパによくある中世の城砦のような気配を放っている。

坂道を上って、ようやく正面にまわると、美術館の建物が見えてくる。秋野不矩のインド風景をイメージしたかと思われるたたずまいである。長野県諏訪産の鉄平石(てっぺいせき)で葺(ふ)かれている大きな方形(ほうぎょう)屋根の建物が、左右に配置されているのが特徴的で、その二つの方形屋根の建物をつないでいる長方形の壁面は、上部に小さな窓が並び、藁(わら)と土を混入した著色モルタルと天竜産の杉材で覆われている。

設計は藤森照信(ふじもりてるのぶ)。秋野不矩存命中の一九九八年（平成一〇）に開館した。

入館して、さあ、秋野作品に対面しようとすると、「靴をぬいでください」といわれた。知らずに入館すると、不意を衝かれる感じがする。秋野不矩美術館は入館時に靴をぬいでスリッパに履き替え、展示室に入る時にはスリッパもぬぐのが決まりなのだ。これは、「秋野の絵の汚れのなさに土足は

〈廃墟Ⅰ〉（秋野不矩、1989年、紙本著色）

似合わない」と考えた藤森照信の設計の一部である。

　この美術館には一三〇点を超える秋野の優品が収蔵されている。初期の〈童女〉（一九四六年）や〈少年群像〉をはじめ、インドを描いたものでは、黄色い大河を水牛の群れが黒い角の頭を並べて泳ぎ渡る〈渡河〉（一九九二年）や、屋根のないがらんどうの部屋に、クリシュナと諸神の像が立てかけられた〈廃墟Ⅰ〉（一九八九年）など、秋野不矩の世界が館内に充満している。

　秋野はインド風景によって、日本画と洋画の壁を乗り越えた画家といってもいいかもしれない。画壇の内外に秋野ファンは多い。


　一九九二年に開かれた秋野の個展の図録のなかで、作家の司馬遼太郎が語っている。

「インドがもつ永遠なるもの――轟々と旋回する輪廻――の一瞬をとらえ、みごとに造形化された。詩的緊張を超え、無重力、真空にちかいふしぎな清らかさが、展開されている。菩薩道の世界といっていい」

（佐賀町エキジビット・スペース『秋野不矩 インド』図録、一九九二年）

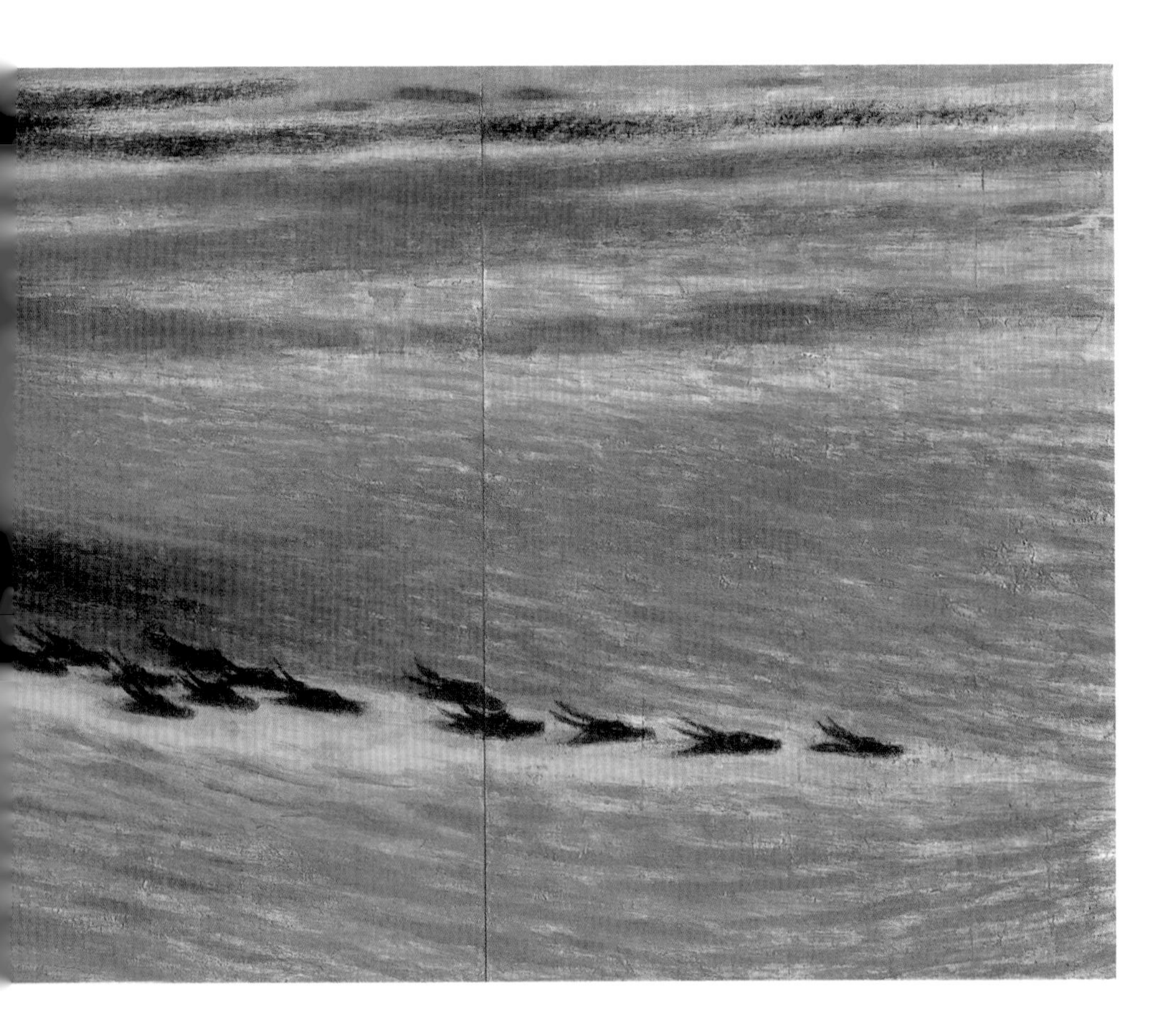

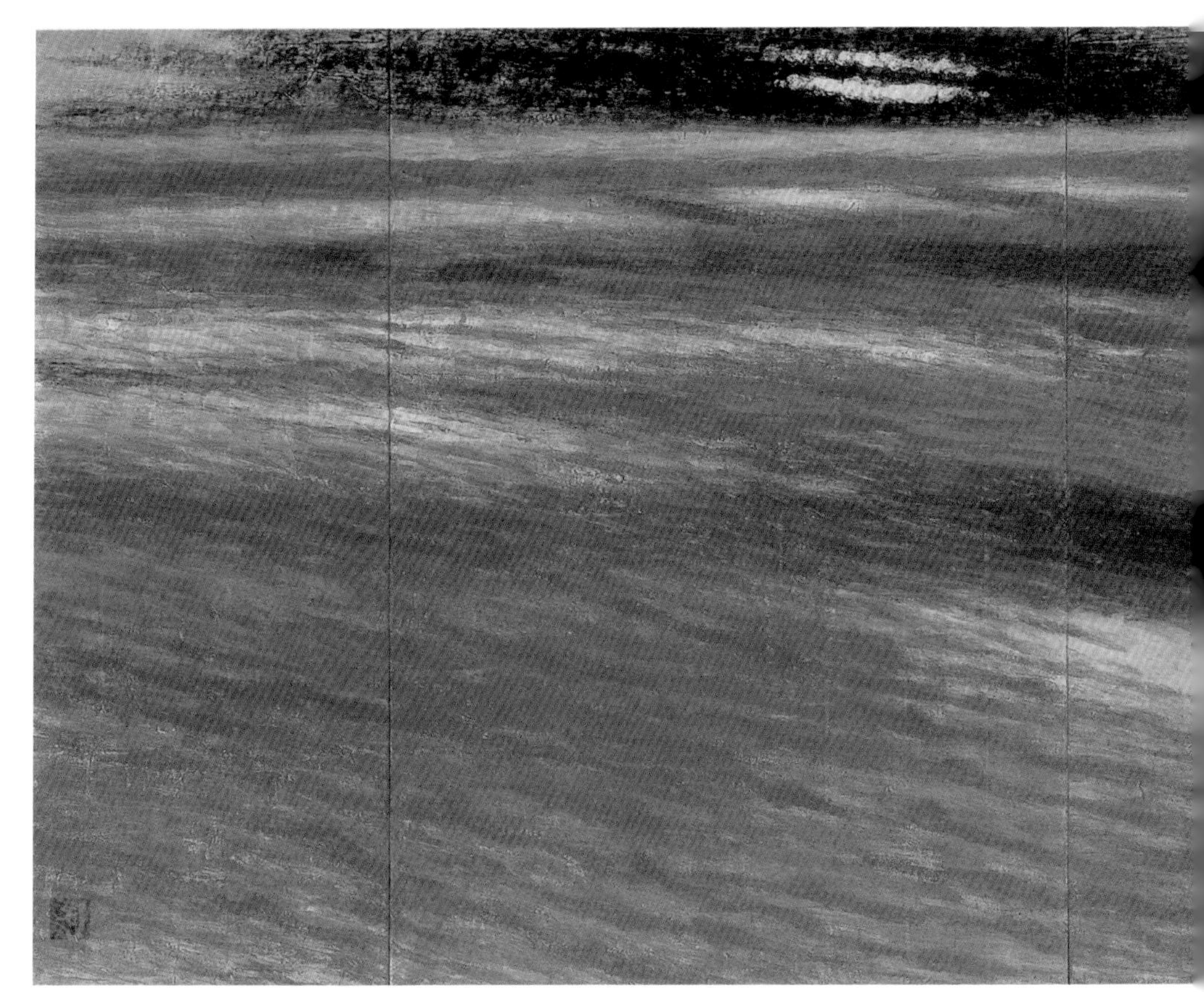

【上】〈渡河〉(秋野不矩、1992年、紙本著色)

“もの”ではなく、“こと”を描く。

熊谷守一と
愛知県美術館

愛知県名古屋市東区東桜1-13-2
愛知芸術文化センター10階
(〒461-8525)
052-971-5511

代表的なアクセス
地下鉄東山線・名城線「栄」駅
あるいは名鉄瀬戸線「栄町」駅から
徒歩３分(オアシス21連絡通路利用)

この美術館の
ウェブサイト
はこちらから

熊谷守一(1968年に放送されたNHKの番組から)

たどり着いた抽象

熊谷守一(くまがいもりかず)は、一八八〇年（明治一三）、岐阜県に生まれた。一七歳で上京し、一九〇〇年、東京美術学校（現・東京藝大）西洋画科撰科に入学。四年後、卒業。同級生には、青木繁(あおきしげる)、和田三造(わださんぞう)らがいた。一九〇九年、〈蠟燭(ろうそく)〉（岐阜県美術館蔵）で文展の褒状(ほうじょう)を受ける。翌年、母の死を機に帰郷するが、一九一五年（大正四）、友人の勧めで再び上京し、二科会員となった。色面と輪郭線だけの熊谷独自の画風が確立したのは、戦後、一九四八年（昭和二三）から五五年頃に描かれた〈ヤキバノカエリ〉（岐阜県美術館蔵）あたりからといわれている。四七年には、二紀会の創立に参加したが、四年後に退会。以後は、叙勲や文化勲章なども辞退して、自由な制作と生活を続けた。一九七七年（昭和五二）没。著書に『へたも絵のうち』『蒼蠅(あおばえ)』の随筆集がある。

一九九〇年（平成二）の「日曜美術館」で、熊谷守一と親交のあった後輩の画家・猪熊弦一郎(いのくまげんいちろう)が熊谷の芸術を語った。

「熊谷さんという方は、本当に虫みたいな人ですね。自然そのものみたいな方ですし、ぜんぜん虚飾のない方ですね。僕から見ますと、僕にないものを全部持っていらっしゃるから、非常に魅力があるんですね。それで、今日お話ししたいのは、熊谷さんは作品の上で、近代に通じる大きな発見をされているということなんです。あまり誰も取り上げていないと思うんです。それは、晩年の月や太陽の絵で、丸に到達されたということなんです。丸がなぜ重要かといいますと、宇宙だからです。熊谷さんは、その宇宙のなかに住んでいる虫みたいなものなんですよ。

つまり、熊谷さんは、いわゆるふつうの絵を描いているだけでは、わからなくなった。もう一つ窓を開けてどこかへ飛び出したい、という気持ちがあったと思うんです。だから、他の同級生なんかから見れば、あいつ変なことをしている、というように見えたんでしょうけど、熊谷さんにしてみれば、何か新しい発見をしたい、ということだったんでしょうね。それを外国の影響が一切ないところで、一人でやっていた。そして、形というものを推し進めていって、丸や三角にたどり着いたのです。キュビスムなんか流行り出しますけど、そういうものとは関係なしに、熊谷さんは単純化を進めて、抽象形態に近いものに到達しているんです」

猪熊はまた、熊谷の〈夕立雨水(ゆうだちうすい)〉（一九六八年）という作品を見ながら、次のように語っている。

「雨樋(あまどい)から水が垂れているのを、よく一つひとつ見ておもしろく描いてますよ。水の垂れているところを描いたんじゃなくて、一つの形態、垂れたと思ったものを絵にしていると

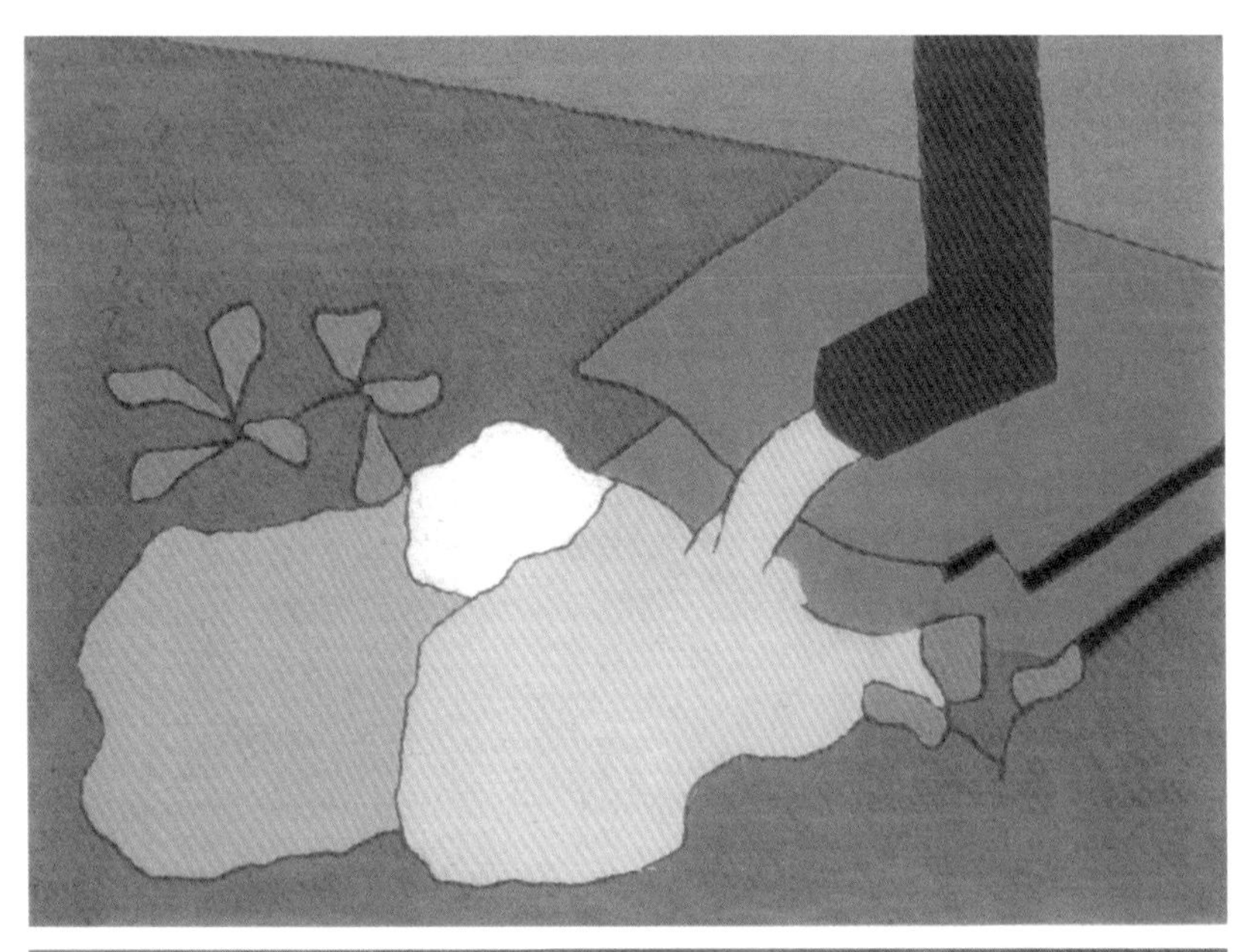

【上】〈雨水〉（熊谷守一、1959年、油彩・板）
【下】〈雨滴〉（熊谷守一、1961年、油彩・板）

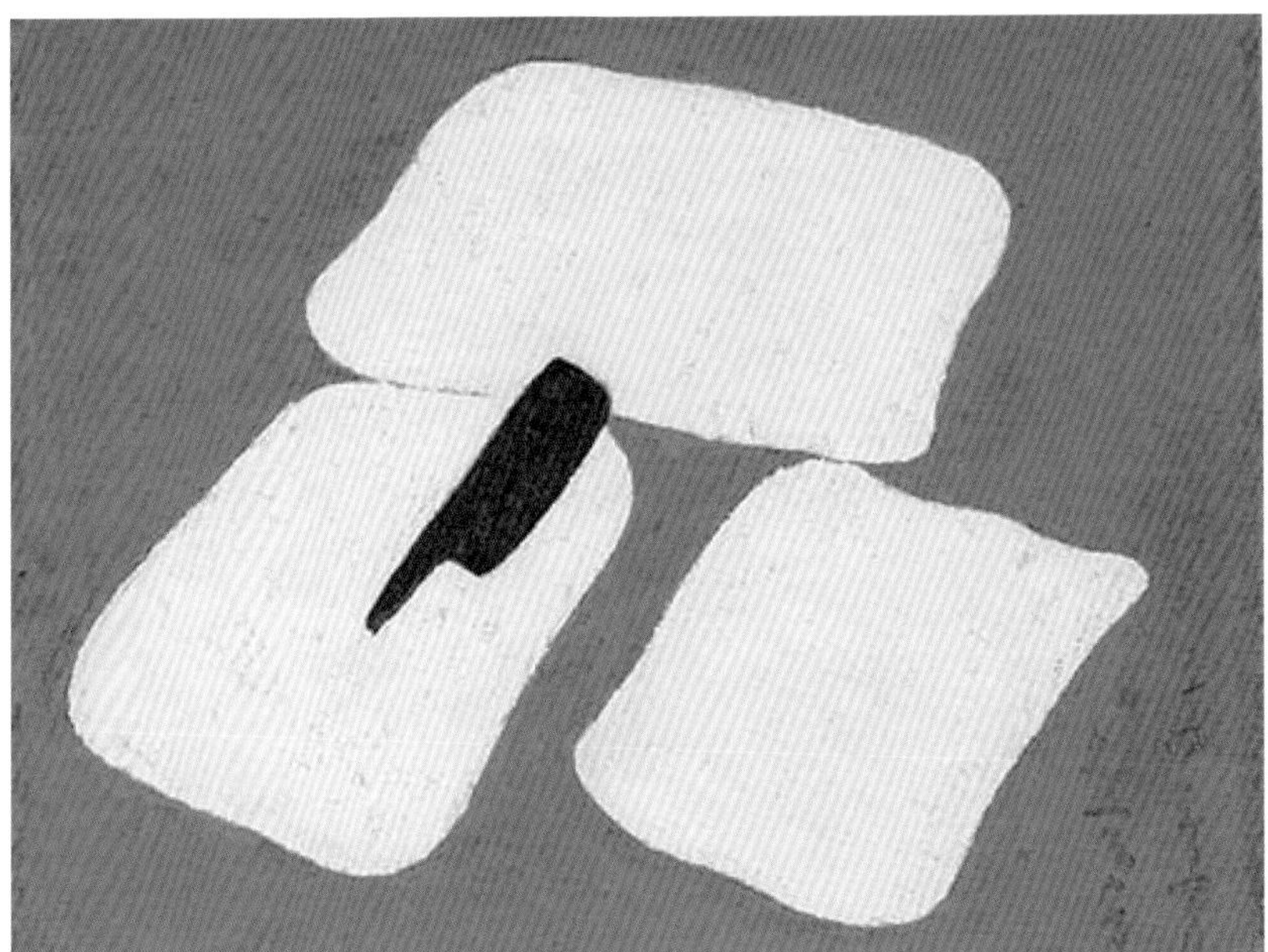

【上】〈朝の日輪〉(熊谷守一、1955年、油彩・板)
【下】〈伸餅〉(熊谷守一、1949年、油彩・キャンバス)

いうことですね。〝もの〟を写生しているわけではなく、その〝こと〟を描いているわけ。〝もの〟と〝こと〟とは違うんですよ。普通の人はたいてい、〝もの〟を描くんです。熊谷さんの絵は〝こと〟を描いているんです。〝もの〟と〝こと〟とは違います」

（日曜美術館　一九九〇年九月二日放送）

美術館を旅する

美術と出会う喜び

名古屋の栄といえば繁華街で知られるが、愛知県美術館はその栄の交差点のほど近くにある。一九九二年（平成四）に建てられた、愛知芸術文化センターという地上一二階、地下五階のビルの一〇階が愛知県美術館の展示フロアだ。地下鉄や名鉄の駅に近く、閉館時間も平日は午後六時、金曜は午後八時と、仕事帰り、学校帰りにも立ち寄りやすい。

二〇一七年（平成二九）一一月から休館していた愛知県美術館は、二〇一九年四月にリニューアル・オープンした。リニューアルを記念した展覧会は「全館コレクション企画　アイチアートクロニクル1919–2019」だった。

一九一九年（大正八）に、愛知に暮らす一〇代・二〇代の若者たちのグループ「愛美社」が、東京から強い影響を受けながらも地元に軸足を置いて開いた展覧会があった。二〇一九年の「アイチアートクロニクル」は、これを起点に、その後一〇〇年の愛知の前衛的なアートシーンを動かしてきたムーブメントや事件をたどった。浅井忠、荻須高徳、岸田劉生、北川民次、熊谷守一、鯉江良二、三岸節子……さまざまなジャンルやテーマで時代を彩ってきた作家たちの優品が、一堂に展示された。

愛知県美術館の収蔵品の柱の一つになっているのは、美術品収集家・木村定三（一九一三―二〇〇三）とその遺族から寄贈された三〇〇〇点を超えるコレクションである。個人のコレクションとしては質・量ともに驚くべきものだ。二つの重要文化財の文人画、与謝蕪村の〈富嶽列松図〉（一七七八―八三年）と浦上玉堂の〈山紅於染図〉（一八一〇年代）をはじめ、仏像、茶道具の優品、絵画では富岡鉄斎、小川芋銭、熊谷守一、須田剋太などのまとまった数の収集品が含まれる。熊谷守一の作品だけでも、二一四点ある。

この木村定三のコレクションは、世間のしがらみにとらわれない自由な制作、あるいは文人的な風雅の心を重視する点で一貫している。

熊谷守一の作品でも、木村定三コレクションには、〈伸餅〉（一九四九年）や〈石亀〉（一九五七年）のような油彩の傑作に加えて、〈河童〉や〈拾得〉〈蒲公英に蝦蟇〉（一九三八年）といった、日本画家が描くような俳画風の淡彩画を多く含ん

〈蒲公英に蝦蟆〉（熊谷守一、1938年、紙本墨画淡彩）

でいるのが特色だ。木村は、熊谷の、そうした遊びのある境地を積極的に評価していたのである。

ほかにも、愛知県美術館には、愛知県出身の工芸家・藤井達吉から寄贈されたコレクション約一五〇〇点がある。海外作家の作品では、クリムトが自身を投影したと考えられる美しい作品〈人生は戦いなり（黄金の戦士）〉（一九〇三年）を特筆しておきたい。収蔵品の豊富さといい、展示スペースの広さといい、足場の良さといい、美術品と出会う喜びに満ちた美術館である。

愛知芸術文化センタービルは、愛知県の総合文化施設だ。二階に大ホール、四階にコンサートホール、八階には各種公募展や団体展などに利用される愛知県美術館ギャラリー、一二階には芸術文化活動の表現・交流の場となるアートスペースがある。また一階にはアートライブラリーが設けられている。芸術関連資料を広範囲に収集して公開する図書室で、オーディオコーナーやビデオコーナーもある。パリの美術商サミュエル・タリカと息子のアラン・タリカが集めた西洋美術の文献二万二三九八冊（タリカコレクション）と、木村定三の旧蔵書一四〇〇冊（売立目録と図書雑誌など）が、このライブラリーの特徴になっている。

パリの街をそぞろ歩くように。

稲沢市
荻須記念美術館

愛知県稲沢市稲沢町前田365-8
(〒492-8217)
0587-23-3300

代表的なアクセス
名鉄名古屋本線「国府宮駅」、
あるいはJR東海道本線「稲沢駅」より
名鉄バスで「美術館・保健センター」下車

この美術館の
ウェブサイト
はこちらから

荻須高徳の最晩年の作品〈サン・マルタン運河〉
(1983年、油彩・キャンバス、個人蔵)

フランスに永住した画家

荻須高徳は、一九〇一年（明治三四）、愛知県井長谷村（現・稲沢市）に生まれた。二一年（大正一〇）に上京し、川端画学校で藤島武二の指導を受ける。二二年、東京美術学校（現・東京藝大）西洋画科に入学。同級生に岡田謙三、猪熊弦一郎、小磯良平、山口長男らがいた。二七年（昭和二）に卒業するとフランスへ留学。第二次大戦が勃発すると、三九年に帰国、新制作派協会会員となる。戦後、四八年に再び渡仏。その後、短期帰国はしたもののフランスに永住。五六年、レジオン・ドヌール勲章を授与される。七八年、パリ市主催で「パリ在住五〇年記念回顧展」開催。八一年、文化功労者。二年後、稲沢市荻須記念美術館開館。一九八六年（昭和六一）、パリのアトリエで制作中に死去。

荻須高徳の死（一九八六年一〇月一四日）の直後、親交のあったNHKのキャスター磯村尚徳が、NHKの報道番組のなかで荻須の思い出を語った。

「荻須さんと私の出会いは、今からもう三〇年近く前に遡ります。ご覧のフィルム（パリ郊外サンリス。一九六〇年撮影の映像）は、当時、駆け出しの特派員だった私自身が撮影したものです。このとき荻須さんは五〇代前半ですが、その後、年をとってからも、いつもこうして背筋を真っ直ぐ伸ばして制作にあたっていましたし、車も最後まで自分で運転していました。『青空にはためく旗竿のように真っ直ぐな人』と知人は形容していますし、一生をかけてパリをしっかりと見つめた明治生まれの日本人の姿を見る思いがしたものです。

生前こよなくパリを愛した荻須さんに対して、よく知り合いの人から、『絵を描く場所に連れていってほしい』という依頼が多かったようですけど、実際に連れてくると、『たいていの人ががっかりするんですよ』と画伯は笑って話しておられました。サン・マルタン運河のあたりもその一つです。ここには、戦前のフランスの名画ファンにはおなじみの『北ホテル』（HÔTEL DU NORD）がありまして、なかなかの趣のあるところなんですけれども、ま、しかし、実物のほうが、やはり荻須さんの絵より数等劣るように思われます。

〈サン・マルタン運河〉（一九八三年）という作品は、秋も深まりすっかり冬景色となったサン・マルタンの運河。運河の少し澱んだ水の色が、荻須さんの好んだ濃い緑色です。そして枯れた街路樹の背景には、刻々と変わる夕暮れの真珠色の空が印象的に描かれています。パリの冬空について荻須さんは、『ピンとした青空じゃなく、柔らかな灰色をしている。これが絵になるんです』と、生前語っていました」

（ワールドネットワーク　世界はいま　一九八六年一一月二二日放送）

一九七八年放送の「スタジオ102」では、パリでインタビューに応える荻須の姿が紹介された。

――パリの街は変わりましたか。

「ずいぶん変わりましたね。パリは変わっていないとよく言われますが、あれは嘘ですよ。ことに戦後、アルジェリアの事変（一九五四―六二年、アルジェリアがフランスから独立した戦争）が済んだ後、人びとがぜん家を塗り替えたり、いろいろなことをやり出しました」

――パリの街のどういうところが魅力ですか。

「それはねぇ、たとえば、トロカデロ広場とか、アンヴァリッドあたりはきれいでね。散歩するのは、たいへんようございますよ。だけど下町へ行きますとね、市場がある。店がいっぱい並んでいる。いろいろな色がある。カーテンがいっぱい下がっている。生活があるんです。直に、間近にね。そこに生活があるっていうこと、これは、絵描きにとってたいへんな魅力なんです」

――お描きになっている絵を拝見しますと、人間はあまり出て参りませんね。

「戦後になってから、人間をいつのまにか入れなくなりました。私、大きいのはアトリエで描きますけど、小品ですと、雰囲気を描きたいために、現場で描くんです。はじめは人が行ったり来たりしてざわざわしているのが目に付きますが、何時間か描いているうちに、壁だとか窓だとか、樋の具合だとかに興味をもって始めていますから、それだけが対象になっちゃう。通っている人間の存在がなくなっちゃうんです、私の頭から。だいぶ絵がまとまったかな、というところで見ると、点景人物を入れる余裕がなくなっている場合が多いんです」

――石の壁、建物の壁や窓を慈しんでいらっしゃる。

「新しく塗り替えたからといって、別に美しいとは思わないんです。何十年もおかみさんが開け閉めしてきた窓が汚れたりしている。そこにいつのまにか生命が入るんですね」

（スタジオ102　一九七八年七月一日放送）

美術館を旅する

なつかしいダンディズム

荻須高徳がパリの街を描いた絵は、一九七〇年代から八〇年代にかけて、東京・銀座の画廊でよく見かけた。この画家くらい、パリに住み、パリが本拠地であることが当たり前で、しかもパリかぶれを感じさせない日本人は珍しかった。おそらく多くの美術ファンは、ずっとパリで荻須が絵を描いている、と思って安心していられたのである。荻須がどこの出身

【上】〈広告のある家“パリの屋根の下”〉(1931年)　【下】〈麦畑〉(1950年代)
ともに荻須高徳、油彩・キャンバス

1960年(昭和35)の荻須高徳。パリ郊外のサンリスで(撮影＝磯村尚徳)

で、画家としてどういう画風の変遷をたどったのかというようなことを知る者は少なかったかもしれない。

出身地の愛知県稲沢市に一九八三年（昭和五八）に開館した荻須記念美術館は、荻須高徳について改めて考えるための、絶好の機会を提供してくれている。

ＪＲ稲沢駅から名鉄バスに乗り、「美術館・保健センター」というバス停で降りると、建物の三分の二以上が青銅色の大きな屋根に覆われた、大寺院の講堂といった趣の美術館が見える。入館すると、二つの展示室いっぱいに、荻須の作品が展示されている。

この美術館の荻須コレクションは、開館時には荻須本人から寄贈された作品を中心に一一三点でスタートしたが、その後も収集が続けられ、現在は二三〇点を超えている。

初期の作品は、美術学校時代の〈父の像〉、荻須には珍しい人物画〈肘をついた婦人像〉（一九三一年）、広告が壁中に貼られたゆがんだ一軒家が、まるで生き物のように描かれた〈広告のある家〝パリの屋根の下〟〉（一九三一年）、すすけて古めかしい病院を描いた〈オピタル・ブロカ〉（一九三一年）など。一九三〇年代前半のこれらの作品には、若者らしい高揚感と力がある。戦争を経た五〇年代の作品には、爆撃でも受けたような黒褐色の建物に迫力のある〈ジョアンビル、礼拝堂の秋〉（一九五〇–五一年）、家がなく一面黄金色に色づいた麦畑のひろがる風景を描いた〈麦畑〉（一九五〇年代）などがある。

後期の作品は、たとえば〈金のかたつむり〉（一九七八年）。風景の高層ビルに合わせて縦長の画面に描かれた作品の下のほうを見ると、店のシェードと看板の上に、金色のかたつむりの飾り物がある。エスカルゴの店か。これは、稲沢市が荻須記念美術館の設立を決めたときに、荻須本人から寄贈を受けた作品である。

油彩画だけでも、三〇点ほどの作品が展示されている展示室は、じつに見応えがある。

別棟に荻須のアトリエが復元されている。この復元アトリエは、二階から俯瞰して見学できるようになっている。何もかもあるべきところに片づいている、整理整頓の行き届いた画室だ。そのまま高級レストランにでも入れるようなきちんとした服装で、立って絵を描く荻須の姿が、浮かんでくる。サイドボードの上には、パイプが置いてあった。

仕事の上でも、日常生活でも、いかなる時も自分のスタイルを崩さない荻須高徳という画家がいた。そのダンディズムがここにある。

女性洋画家、その先駆者の原点へ。

一宮市三岸節子
記念美術館

愛知県一宮市小信中島字郷南3147-1
(〒494-0007)
0586-63-2892

代表的なアクセス
JR「尾張一宮」駅、あるいは名鉄「名鉄一宮」駅から
名鉄バス「起」行で約15分
「起工高・三岸美術館前」下車、徒歩1分

この美術館の
ウェブサイト
はこちらから

〈花〉(三岸節子、1989年、油彩・キャンバス)

二人の出発から一人の歩みへ

三岸（旧姓吉田）節子は、一九〇五年（明治三八）、愛知県起町（現・愛知県一宮市）に生まれた。一六歳の時に上京して岡田三郎助に師事。女子美術学校（現・女子美術大学）卒業。二四年（大正一三）、一九歳で三岸好太郎と結婚したが、一〇年後に好太郎は早逝。三九年（昭和一四）、新制作派協会会員となる。五四年に初めてフランスに渡り、翌年帰国。軽井沢での独居生活を経て、神奈川県大磯にアトリエを構える。六八年に再び渡仏し、以後約二〇年にわたってフランスで制作活動を続ける。八九年（平成元）帰国、大磯に定住した。九四年、文化功労者。九八年に尾西市（現・一宮市）の生家跡地に美術館が開館する。翌九九年（平成一一）、逝去。

一九九二年の「日曜美術館」で、八七歳の三岸節子が、大磯のアトリエで三岸好太郎との思い出を語った。

「三岸は結婚一〇年目に亡くなりましたが、最期の頃には、どちらかが死ななければもたない状態でございまして、もし主人が生きておりましたら、私が死んでおりました。自殺でもしていたかもしれません。子供が三人おりましたし、三岸が亡くなった時、描く以外、私のような人間に使い道はありませんから、画家になろうと決心いたしました。三岸は、もう夫婦として暮らすにはたいへんな人でございました。しかし、芸術というものの、本当の本質を教えてくれたのは、三岸です。これは得難い、私にとっては遺産です」

三岸好太郎の絶筆として知られる〈女の顔〉（一九三四年）については、こう語る。

「私を旅行に連れて行く汽車のなかで、三岸は、今度はうーんと線の強い絵を描いてやる、と申しましてね。それで三岸が名古屋で亡くなった時に、知らされて私が行きましたら、彼のいた旅館の部屋に、たった一枚、私の顔を描いたデッサンがあったんです。これが絶筆だったのですが、非常に強いデッサンです。ああ、描きたかったのはこれだったのか、と思いました。大切に持って帰りました。まったく放埒な人でしたからね。自分の命を自分で縮めたような人でした」

（日曜美術館　一九九二年一〇月一一日放送）

二〇〇五年の「新日曜美術館」は、三岸とモチーフの出会いについて、三岸の日記や発言を引用しながら紹介した。

一九六八年、南仏カーニュに住んだ頃の日記。

「南仏の赤い屋根と白く灰色で淡い黄色のこの壁、これを描かねばならぬ。赤い屋根と灰色の厚い壁の彼方に青い海が光り、夕方には乳色の濃い靄が厚く流れる」

カーニュを拠点に、三岸はイタリアやギリシャ、エジプトなどへモチーフを求めて旅をする。ベネチアの風景も、好んで描いたモチーフであった。ベネチアでの三岸の思い出を、孫の三岸太郎が語っている。

「ゴンドラに初めて乗ったのは、ベネチアに初めて来た時、観光客が乗るように、皆で乗ったんです。その時、『これはいけるぞ』と祖母がいい出しましてね。それは、ゴンドラから、水面から絵を描こうということなんです。寒いなか、デッサン帖持って、同じ日にもう一回ゴンドラに乗りましてね、描き始めました。ゴンドラを漕ぐ人に注文をつけて、小運河ばかり行ってもらって、すごくいい赤い色を見つけると、ここで止まってくれと言って、寒いなかずうっとデッサンを続けるんですね。でも、待っているほうは、寒くて寒くて、もう堪（たま）りませんでした」

一九七四年、パリで初の個展を開いた三岸は、予想を超える成功をおさめたこともあり、帰国するつもりだった予定を変更し、ブルゴーニュ地方の農村ヴェロンに住み始めた。そのいきさつを、やはり孫の太郎が語る。

「ヴェロンの家ですね。ここに不動産屋さんに案内されて来た時、まだ寒かったんですけど、なぜか近くの木に花が咲いていたんですね。赤い花、黄色い花、そしてライラック。それがずうっと見えて、祖母は、家も見ないうちから、ああここに決めた、決めたって言い出したんです」

大掛かりな改築をしなければ住めそうもない家だったが、上機嫌の節子は迷わずこの農家を購入。南仏とは気候も風土も異なるヴェロンでの生活が始まった。一年がかりでアトリエも完成し、以後、一四年にわたる制作の拠点になった。

日記にはこう記されている。

「時折、五里霧中。暗中模索。何を描いていいのか、さっぱりわからなくなる。いつもそんな時に、勇気を出して自らを励まし、イーゼルの前に座って描き始めればまた何らかの発見に繋がる。小鳥が卵を産み、雛を孵すように」

（新日曜美術館　二〇〇五年四月二四日放送）

美術館を旅する

少女の三岸節子がいる

「起（おこし）」という地名が珍しかった。

三岸節子記念美術館の最寄りのバス停は「起工高・三岸美術館前」。そこでバスを降りると、通りに面して石垣の塀がしばらく続く。塀といっても、大人の背丈よりも少し高いくらいの高さの、そう古い物ではないのだが、石垣の組み方が豪快で美しく、インパクトがある。その石塀の切れたところに、愛知県立起工業高等学校の表札があった。

石塀は学校の創立八〇周年（大正四年創立）の記念事業で、起工業高校のデザイン科の制作だという。歴史のある学校で、多彩な人材を輩出しており、『ドラゴンボール』で知られる漫画家・鳥山明も卒業生の一人だ。

三岸節子記念美術館は高校と通りをはさんで反対側、歩いてすぐのところにあった。バス通りの一本裏手である。三岸節子の生家の跡で、三岸家が経営する毛織物工場があった場所だった。現住所の一宮市「小信中島（このぶなかしま）」という地名も古くからのものだが、三岸節子美術館の資料には、三岸は「起町に生まれる」となっている。

起は、江戸時代には宿場町として栄えたのに加え、繊維産業の盛んな尾張西部の一角にあたり、相当にぎわった町だ。じつは、起工業高校も、前身は染織の学校だった。三岸はそういう町の、織物工場を営む経営者のお嬢さんだった。

美術館は赤レンガ風。毛織物工場をモチーフにした建物で、屋根がギザギザの鋸屋根（のこぎり）になっている。玄関の前には、三岸の小さな全身像のブロンズが立っていた。このかわいらしい銅像にちょっとあいさつをする気持ちで入館する。

展示室は一階と二階。二階は特別展が開かれるスペースで、三岸節子の作品は、一階でたっぷりと見ることができる。

二〇二〇年秋のコレクション展（常設展）は「油彩のきらめき――ヨーロッパの風景」。〈カーニュ風景〉（一九六九年）、〈ブルゴーニュの麦畑〉（一九七八年）、〈花〉〈ブルゴーニュにて〉（ともに一九八九年）などによって三岸の苦難の道程をたどるこの展覧会のパンフレットには、一九五四年に初めてフランスに渡り翌年帰国した三岸節子に、当時新聞記者だった司馬遼太郎が面会したときの回想が紹介されている。

『帰りの船が沖縄に近づいたとき、ああまたあの水蒸気の国に帰るのか、と思いました』と、彼女がいったとき、このひとの色彩がみごとに乾いて発色していることを思いあわせ、さまざまなことを連想した。（中略）この地の乾いた空気と、色彩のあざやかさは、彼女の中にあふれてしばしば出所（でどころ）をうしなっていた造形に自由をあたえた」

（『微光のなかの宇宙―私の美術観―』中央公論社、一九八八年）

三岸節子の絵画は、ヨーロッパの堅牢さ、ぶ厚さ、重たさ、強烈さとの対話であり、闘いであったといえるかもしれない。彼女の作品を年代順に見て行くと、その厳しい道程がよくわかる。厚塗りの画面は、時には体当たりしているように感じられる。ただ、もう一度最初期の作品に戻って、つくづく美しさに驚かされるのは、一九二五年に描かれた、一〇歳の〈自画像〉である。凛々しい生き方をした三岸節子の目が、すでにここに燃えるように描かれている。

美術館には三岸の生家の土蔵が残されており、その内部に、三岸のアトリエが再現されていた。使い古した座布団、取り散らかった画材、絵の具のチューブの残骸、絵の具に染まった布切れの山。なりふりなどかまってはおられず、イーゼル上に魂の籠った一枚の絵が生まれさえすればいいという、胸に迫るアトリエであった。

〈ブルゴーニュの麦畑〉（三岸節子、1978年、油彩・キャンバス）

〈自画像〉(三岸節子、1925年、油彩・キャンバス)

刻まれたのは、人の生の証し。

村山槐多・柳原義達と
三重県立美術館

三重県津市大谷町11
(〒514-0007)
059-227-2100

代表的なアクセス
近鉄名古屋線・JR紀勢本線・伊勢鉄道伊勢線
「津」駅から徒歩10分

この美術館の
ウェブサイト
はこちらから

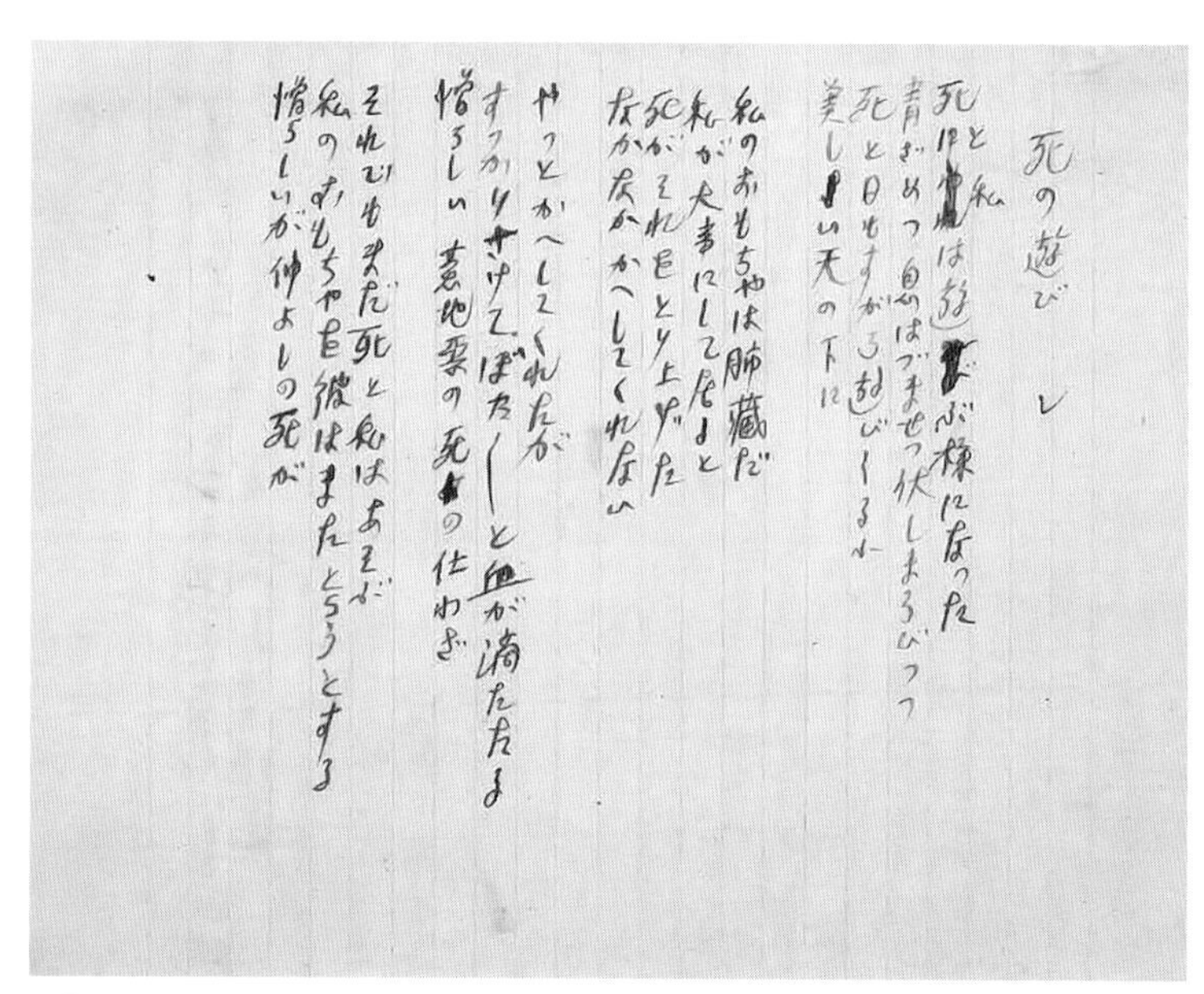

死の遊び

死と私は遊ぶ様になつた
青ざめつ息はづませつ伏しまろびつつ
死と日もすがら遊びくるふ
美しい天の下に

私のおもちやは肺臓だ
私が大事にしてゐると
死がそれをとり上げた
なかなかかへしてくれない

やつとかへしてくれたが
すつかりさけてぼたぼたと血が滴たる
憎らしい意地悪の死の仕わざ

それでもまだ死と私はあそぶ
私のおもちやを彼はまたとらうとする
憎らしいが仲よしの死が

詩『死の遊び』
(村山槐多、1919年、インク・紙)

二二年の短い生涯

三重県立美術館には、村山槐多（むらやまかいた）の〈自画像〉（一九一六年）が所蔵されている。明治後期から大正時代にかけて、絵画と詩の世界に光彩を放って駆け抜けた村山槐多。一九八四年（昭和五九）の「日曜美術館」が、二二年の生涯をたどった。

村山槐多は一八九六年（明治二九）、愛知県岡崎市で生まれた（長く「横浜生まれ」が定説だったが、二〇一一年に、「岡崎生まれ」が確認された）。四歳の時、父の転勤で京都に移り、一八歳まで京都で過ごした。腕白な少年だったが、学校の成績は首席で、小学三年生の頃からよく絵を描くようになり、父親も水彩絵具などを買い与えたという。京都府立第一中学校（現在の洛北高校）に入った頃からは文学に熱中し、古今の詩や小説に読みふけるようになり、特にエドガー・アラン・ポーに心酔した。

槐多を絵の道に進ませたのは、いとこの山本鼎（やまもとかなえ）であった。東京美術学校（現・東京藝大）出身の新進画家として、創作版画運動のリーダーとして活躍していた山本は、早くから槐多の画家としての才能に注目し、絵を描くことを勧めたのである。

一九一四年（大正三）の春、中学を卒業した槐多は上京。「したければする　したくなければしない　俺の生活は是だ　是だ　この他に何物があらう　総てを『村山槐多』と云ふ奔流に投げ入れ　俺もたゞそのまゝに進むばかりだ　ぶつかる何者かよ　俺は汝が必ず貴く得がたき物なるを信ず」（村山槐多の詩「緑金の鶏」より）。東京で槐多は、小杉未醒（みせい）（後の放庵（ほうあん））の家に身を寄せた。当時、パリにいた山本鼎が、友人の小杉にこの異能の人を託したのである。

一八歳で華やかに登場した槐多であったが、東京での生活は、極度の貧困と過度の飲酒、それに放浪の日々であった。貧困とデカダン（退廃）の生活のなかで、槐多は時にデーモンに憑（つ）かれたようにキャンバスに向かい、絵の世界を燃焼させていったのである。

一九一八年四月、槐多は突然結核性の肺炎に襲われて喀血する。療養のため、千葉県の九十九里へ転地するが、名部戸という小さな漁村で再び大喀血に襲われた。近くの病院に運ばれた時は、すでに危篤状態だったといわれる。その年の暮れ、小康を得た槐多は東京に帰り、代々木にあばら家を借りて、残り少ない日々を送った。

一九一九年二月一八日の夜、スペイン風邪で発熱して寝ていた槐多は、雪まじりの雨の激しく降るなかを発作的に飛び出し、畑のなかに倒れているところを発見された。その二日後、二月二〇日の早朝、わずか二二年と五か月の短い一生を終えたのであった。

（日曜美術館　一九八四年一一月二五日放送）

〈自画像〉(村山槐多、1916年、油彩・キャンバス)

【左】〈風の中の鴉〉(柳原義達、1984年、ブロンズ)
【右】〈道標・鳩〉(柳原義達、1979年、ブロンズ)

NHKさまざまな番組から

鳩も鴉も私

柳原義達は一九一〇年(明治四三)、神戸市に生まれた。東京美術学校(現・東京藝大)彫刻科を卒業。戦後、一九五三年(昭和二八)にパリに渡り、彫刻を学び直す。一九五七年帰国。翌年、第一回高村光太郎賞受賞。一九七〇年、日大芸術学部教授、一九八五年には、美術論集『孤独なる彫刻』を刊行した。一九九六年(平成八)、三重県立美術館で柳原義達展を開催、この年文化功労者となる。二〇〇三年、三重県立美術館に柳原義達記念館開設。翌二〇〇四年(平成一六)、東京で没した。

一九九九年、「土曜美の朝」がアトリエを紹介した。六〇歳の頃から鳩や鴉をモチーフにした彫刻作品をつくり始めた柳原に、山根基世アナウンサーがインタビューした。

山根基世　鳩って、一刻も止まっていないんですね。

柳原義達　じぃーっとしてないですね。

山根　じっとしていないものをデッサンするって、難しいでしょうね。

柳原　あのね、動いてくれるほうが僕はいいんですよね。

山根　描きにくくありません？

柳原　いや、そんなことはない。動いてくれるほうがね、この子の命みたいなもんがよく表現できるんですよ。首を上げたり下げたりしないで、止まっているだけだったら、つまらないでしょ。

山根　彫刻家から見て、鳩の造形的な魅力というのはどういうところですか。

柳原　それはね、片足を上げれば、当然左右のどちらかに傾くわけですよ。そうしたらね、お尻の穴から、前までね、ぐうーっと全部が変わるわけですよ。片足を上げたら、ひっくり返りましょ。ひっくり返らないためにね、全身に力が行き渡る。それがたまらなく美しいんですね。

山根　鴉もそうですか。

柳原　鴉も。鳩も人間も。自然は全部そうですよ。花も。

柳原の作品のなかに、〈道標・鴉〉（一九六八年ほか）、〈道標・鳩〉（一九七九年ほか）などと、〈道標〉というタイトルがつけられた一群がある。かつて田舎にあった道祖神や地蔵が旅人の道標になったように、これらの作品に彫刻家として生きてきた自分の人生を示し、これからの行く手を照らす道標となってほしい、という思いを込めたものであるという。

柳原　自分が生きている証拠をね、残そうとしているわけでしょ、芸術家は。（デッサンを指して）これが私なんですよね。私は死んだらなくなるけれども、これはなくならないでしょ。そうすると私と、この鳩ちゃんが入れ替わるわけです。僕が作品と入れ替わって、僕が死んでも作品が残るように毎日生活しなきゃいけないという、僕の考え方なんです。

山根　このなかにご自分を入れ込んでいらっしゃる。

柳原　そういうことですね。いやあ、入れ込もうとしているんですね。だけど、この齢になって僕がいちばん哀しいのは、なかなかそれができないっていうことですね。美しいですよ、彫刻の世界は。芸術の世界は。

（土曜美の朝　一九九九年一〇月二日放送）

美術館を旅する

豊かな美術体験の場

鉄道三線が乗り入れている津駅は、津市の市街の中心から北へはずれている。津の古くからの中心部で、今も繁華街になっているところは、安濃川（あのうがわ）を渡った南の一帯で、むしろ津新町駅に近い。織田信包（おだのぶかね）が築き、藤堂高虎によって大改修されたことで名高い津城の跡も、津新町駅のすぐ東にある。

三重県立美術館は、津駅を出て西へ、坂道を一〇分ほど上ったところにあった。津駅の周辺は郊外だが田舎というわけではなく、三重県庁もここにあるところを見ると、明治以降に新たな街として建設された場所のようである。駅を後にしてすぐ、左手に津偕楽公園という大きな日本庭園へ続く入口があった。樟（くす）の木の老樹などが見られるこの庭は、藩主藤堂家の別邸跡だという。

公園の前を通り、美術館までの広い道は、道路沿いの建物がおもしろい。半円形の蜂の巣を伏せたようなドーム型のグレーの建物がある（看板を見ると歯科医院だった）。その向かい側には、ステンドグラスの大きなドアと石積みの壁面が見事な美容院。全体がガラス張りで小ぢんまりした銀行もあった。一帯がおしゃれな建築を競っているように見える。

美術館は坂を上がりきったあたりを左に折れて、一段と高いところにそびえていた。本館はガラス張りの建物だが、正面の半分くらいまで石の塀が伸びて、建物の姿を隠している。館全体が木々に囲まれた、このうえないロケーションだ。開館は一九八二年（昭和五七）。館に入ると、エントランスにはオシップ・ザッキンの彫刻〈ヴィーナスの誕生〉（一九三〇年）。一階が企画展示室、二階が常設展示室で、一階左寄りの離れに、柳原義達記念館がある。

柳原義達記念館の開設は二〇〇三年（平成一五）。三重県立美術館の開館二〇周年を期に、柳原の彫刻と素描などが一括して寄贈され、誕生した。記念館は二室で、裸婦、首、鳩と鴉の作品、デッサンなどが展示されている。代表作の一つである〈犬の唄〉（一九六一年）を見てもわかるとおり、柳原の裸婦の体型は、写実的な裸婦とは違っている。だが、柳原は鳩や鴉を一瞬の動きのなかでとらえているのと同様に、人間もまた生きて動いている状態を制作しているのだ。はじめからデフォルメしようとしているのではなく、生命の形をつかもうとしているのである。

三重県立美術館には、清水登之（しみずとし）の〈チャプスイ店にて〉（一九二一年）や、藤島武二の〈大王岬に打ち寄せる怒濤〉（一九三二年）など、日本洋画の優品が数多いが、とりわけ多くの美術ファンを惹きつけているのが、険しいともいえる表情に特色のある村山槐多の〈自画像〉（一九一六年）である。

村山槐多が二二歳で死んだ時、彼に絵を描くことを勧めた画家山本鼎は、「槐多君は、あきらかに流行性感冒で死むだのだ。それだのに自殺のやうに思へてならない」と述べ、さらにこう続けた。

「槐多君は常に頗る貧乏な画学生であつたが、而も常に、神授されて富饒な芸術的養分によつて、いつも活き活きとした人間であつた。美に対する微細で広汎な情熱、及び、それを表現する手法の鋭敏さを天に承けた事に於ては、むしろ稀に見る幸福なる画学生であつたのだ。遺作を観られた諸君は、其の自由で強いデッサンに、果断で含蓄ある色彩に、美と美術とを良く理解する者にして、はじめて攫み得る契機の面白さに、きつとそれを是認せらるるであらう」

（兜屋画堂『村山槐多遺作展覧会目録』一九一九年）

詩と版画。釣りと油絵。

田中恭吉・原勝四郎と
和歌山県立
近代美術館

この美術館の
ウェブサイト
はこちらから

和歌山県和歌山市吹上1-4-14
(〒640-8137)
073-436-8690

代表的なアクセス

JR「和歌山」駅または南海電鉄「和歌山市」駅から
「和歌浦口方面」行きのバスで約10分
「県庁前」下車、徒歩２分

萩原朔太郎の詩集『月に吠える』(初版1917年)
の装画に用いられた田中恭吉の版画

NHK日曜美術館から

田中恭吉『月に吠える』

田中恭吉は一八九二年（明治二五）、和歌山市に生まれた。上京して白馬会原町洋画研究所を経て東京美術学校（現・東京藝大）日本画科に学び、中退。一九一四年（大正三）、恩地孝四郎、藤森静雄らと版画誌『月映』を創刊し、主情的象徴主義的な版画や詩を発表したが、すでに肺結核を発病していて、療養のため帰郷。翌一九一五年に和歌山の自宅において二三歳で没した。田中の挿画による萩原朔太郎の詩集『月に吠える』は、友人恩地らの手で完成された。

二〇〇〇年（平成一二）の「新日曜美術館」で、美術評論家で信濃デッサン館館主・窪島誠一郎が田中恭吉を語った。

「彼のモチーフは全部暗いんですよ。黄昏なんです。それか、人間の姿がたまに描かれていると、後ろ姿なんです。悲しげなんです。僕ら凡庸な人間は、本当にそういうものを忌み嫌って生きているんだけど、その忌み嫌う暗闇のなかにね、光を見出せる才能があるんですよね。僕は本当に不勉強で遅れてきた恭吉ファンなんです。昭和四〇年代の半ば過ぎくらいですかね。私家版の美しい詩画集で恭吉の絵に触れ、詩に触れていた時には、何かその絵に触ると、恭吉が汚れるような気がしたんです。不思議とコレクションしようという気が起こらなかった。田中恭吉のファンというか、愛する理解者はみんなそうじゃないかな。心のなかにそれぞれが、恭吉美術館を持っている。恭吉っていう人に触れることが、とってもためらわれたんですね。いたいけな、オブラートのような薄毛のような、危うい汚れのなさがあったんです」

和歌山県立近代美術館には恭吉が彫った版木が残っている。

「何か見ちゃいけないものを見たというか、とっても秘密めいているんですよね、木版画家の版木というのはね。特に恭吉の場合は、心に刺青をするような感じで、本当に入魂、魂のこもった一本一本がこう……恭吉が、病と闘って、彫っていったのかなと思うと、心が震えますね」

田中恭吉の死。

「恭吉にとって死というのは、僕たちが考える、命の終わりというのではなくて、何か生の始まり、生まれてくる前の母親の胎内に還るような、そういうものだったんじゃないかと思うんですね。生きているうちから、喀血の血の色と、死の黒い影と。それをたくさんの詩とか絵にしていた恭吉にと

【右２点】『月に吠える』の挿画として掲載された田中恭吉の版画
【左】〈絢はれゆく歓喜と悲愁〉(田中恭吉、1915年、インク・紙)

って、死は、生きているうちの自分の仲間だったんじゃないだろうか。だから、死ぬ間際の恭吉は確かに、肺病に恐れおののいてはいたけれども、何か、自分の詩と絵を生んでくれた母親の胎内に還っていく。自分の芸術を生んでくれた、その源に還っていく。そんな気持ちで死を迎えたんじゃないかと。彼の絵と詩と改めて向かい合ってみると、そう思います」

（新日曜美術館　二〇〇〇年五月七日放送）

NHK日曜美術館から

無欲の原勝四郎

原勝四郎は一八八六年（明治一九）、和歌山県田辺町（現・田辺市）に生まれた。東京美術学校（現・東京藝大）西洋画科予備科に入学するが、中退。一旦帰郷し、代用教員などを勤めた後、再び上京して白馬会洋画研究所に通い、また東京音楽学校器楽科選科に入学してバイオリンを学ぶ。一九一七年（大正六）、渡仏。ヨーロッパ各地からアフリカまで放浪し、一九二一年に帰国した。一時大阪に住むが、一九三一年（昭和六）和歌山県白浜に移る。一九四〇年、〈頭像〉で二科展の岡田賞を受賞し、二科会会友となるが、四年後に二科会は解散。戦後、一九五七年に二紀会の同人となる。その後二紀会に出品していたが、一九六〇年に無所属となった。一九六四年（昭和三九）、白浜で死去。

一九九二年（平成四）放送の「日曜美術館」が、夫人・原厚子が語る勝四郎の思い出を伝えた。

うちへおいでいただいた方が、壁に掛けてある絵を見て、『この絵が好きだなあ』って言いましたら、『はい、あげましょう』ってすぐにあげてしまったりね。それから、いくらでも画料は出すからこれこれの場所を描いてくれという注文がありましても、自分の描きたくないところは絶対に描かないという、そういう無欲のところがたいへんいいと思いました。

主人が、会心の作ができた時、どうだ！　見てくれ！　って必ず私に言うんです。その時に一緒に見るのが、一番嬉しかったですね、はい。少しでも、夫が喜んで仕事ができるような雰囲気をつくるのが自分の努めだと、それだけはいつも思ってきました。

釣りが好きで、毎日毎日釣りに出かけましても……早く絵を描いてもらわないと生活が押し詰まってしまうというような場合でも、けっして嫌な顔をせずに何種類かのお弁当をつくって、……大食いのほうでしたからね、ごはんをたくさん詰めて送り出しました。

亡くなる前に、人間なんて延々と働いてこんなふうになってしまうんだな、って言ってました。その時、私、お腹のなかで、釣りする時間と絵を描く時間を比べたら、釣りする時

1972年に和歌山県立近代美術館（旧館）で開催された「原勝四郎展」の図録

間のほうがずっと多かったくせにって。夫は戌年（いぬどし）生まれでしたが、犬も歩けば棒に当たるって言いますけど、俺は貧乏の棒ばっかりに当たってきたよ、と笑っていました。そんなようでしたから、あの人はもう二度と人生はいらないと思います。来世ってものがあったら、私は、もう一度、原に出会いたいと思います。

原厚子は一九七九年（昭和五四）、『原勝四郎の思い出』を刊行した。この著書が、原勝四郎再評価の機運をつくる大きなきっかけとなった。

（日曜美術館　一九九二年一一月二九日放送）

美術館を旅する

紀州和歌山の命脈

和歌山県立近代美術館の開館は一九七〇年（昭和四五）。日本で五番目の近代美術館として、和歌山県民文化会館の一階にオープンした。現在の場所に移転したのは一九九四年（平成六）のことである。一九七〇年の開館当時は八三点だった所蔵品は、新しい美術館に移転する前の段階で約六〇〇〇点、現在は一万点を超えている。

和歌山県立近代美術館は、史跡和歌山城に隣接した、小高

【上】〈風莫港〉（制作年不詳、油彩・板）
【下】〈婦人像〉（1953年、油彩・厚紙）
ともに原勝四郎
原勝四郎は、南紀白浜の綱不知（つなしらず）の港を飽かず描いた。綱不知は、この港が外海が荒れていても波が静かで船を係留するのに綱が不要だったことから、その名があるという。近くには柿本人麻呂の「風莫（かざなし）の浜の白浪いたつらにここに寄せ来る見る人無しに」の歌碑がある。原が白浜で描いた人物像のモデルは、ほとんどが最愛の妻と娘だった。

い丘に建っている。和歌山城跡は現在は公園になっていて、老樹が茂り、思いがけず起伏に富んでいて、歩いてみると、そこかしこに徳川御三家の一つが本拠地としてきた格調のようなものが感じられる。

美術館へのアプローチは、この公園の南縁を走る三年坂通りから階段をのぼる。階段に沿って、電燈が仕込まれたコンクリートの角柱が、神社の石燈籠の列のように、ずらりと並んで立っていた。やがて右手に現れる和歌山県立近代美術館の建物は、神社や寺に見られるような、何枚もの庇が鋭く突き出た形を見せ、黒川紀章の設計と聞けばうなずける、覇気を放ってそそり立っている。

この美術館は、開館以来、和歌山県ゆかりの作家の展覧会を開催しながら、川口軌外、野長瀬晩花、下村観山、川端龍子、原勝四郎などの郷土作家のコレクションを充実させてきた。これらの画家のなかで、田辺出身の原勝四郎は、三〇代の前半にヨーロッパからアフリカまで各地を放浪した後、四五歳（一九三二年）以降は七八歳で亡くなる（一九六四年）まで南紀白浜に住んだ。原は、白浜に住むようになってからは、人物像はほとんど最愛の妻と娘、そして自画像だけを描いた。風景は、白浜の住まいに近い綱不知だけを描いて飽きなかった。海外を放浪した経験をもちながら、画家としての活動の大部分を、家族と、海を中心とする故郷の風景を描くことに打ち込んだ。

和歌山県立近代美術館は、地元出身の田中恭吉や恩地孝四郎、浜口陽三など、日本の近代版画史に足跡を残した版画家たちの作品の収集にも力を入れ、国内でも屈指の版画コレクションを誇っている。特に、豊かな才能と新しい時代への感覚をみせ、恩地孝四郎らと『月映』を創刊して活躍を始めた矢先に、病に倒れてやむなく故郷に帰り、二三歳で夭折した田中恭吉の作品は、深い印象を残す。

また、ピカソやルドンなど海外の作家の版画も多く収蔵している。さらに、戦後の関西に興った前衛美術運動――「走泥社」（陶芸）、「パンリアル美術協会」（日本画）、「デモクラート美術協会」（洋画・版画）、「具体美術協会」（洋画）など――で活躍した作家の作品収蔵にも力を入れて現代美術コレクションの形成に努めてきた。その流れのなかに、二〇世紀アメリカ現代美術を代表するマーク・ロスコやフランク・ステラ、ジョージ・シーガルのコレクションも加わっている。

全身で受けとめる、襖絵。

長沢芦雪と
串本応挙芦雪館

和歌山県東牟婁郡串本町串本833
(〒649-3503)
0735-62-6670

代表的なアクセス
JR紀勢本線「串本」駅から
徒歩10分

この美術館の
ウェブサイト
はこちらから

宝永地震(1707年)による大津波で全壊した無量寺は、1786年(天明6)、愚海和尚によって再建された。愚海和尚はかねてから親交のあった円山応挙に襖絵を依頼。祝いに12面を描いた応挙は、残りを弟子の長沢芦雪に託した。「串本応挙芦雪館」は、この無量寺の境内にある

紀の国の龍虎

長沢芦雪（ながさわろせつ）は、一七五四年（宝暦四）、武士上杉氏の子として丹波国篠山に生まれたという史料が残っている。淀藩（現在の京都府内）で育ち、その後長沢氏を継いだとされている。円山応挙（まるやまおうきょ）に絵を学んだが、穏やかな応挙の作風とは違う、個性的な発想で応挙門下で異彩を放ち、南紀、奈良、豊橋、兵庫など、各地に襖絵を残した。一七九九年（寛政一一）没。

二〇一四年（平成二六）の「日曜美術館」が、和歌山の串本応挙芦雪館を訪ねた。番組の司会者だった俳優の井浦新（いうらあらた）は長年の芦雪ファン。芦雪館で芦雪の名作に向き合った。

「何度来ても、驚きますね。冷静でいられなくなるというか。圧倒されます。絵を見に来るというよりも、本当に体で感じに来るというか。ぶつかりに来る感じです」

長沢芦雪は、最初からうまく絵が描けたわけではなかった。絵の師匠は写実の達人円山応挙。京都を代表する巨匠である。応挙は真面目で温厚な人柄だったといわれるが、芦雪のほうは、水泳、剣術、馬術、音楽と多趣味多芸。相当ユニークな人物だったという。そんな芦雪が応挙を尊敬し、写実の技を磨いた。たとえば応挙が得意とした「孔雀」。今にも動き出しそうな生命力、羽の一枚一枚まで、まさに真に迫る師の筆遣いを、芦雪は忠実になぞった。ひたすら師匠の背中を追いかけた。そんな芦雪に転機が訪れたのは三三歳の時。多忙を極める応挙の代理で、紀州の寺に絵を描きに行くことになったのだ。師匠のもとを離れ、雄大な自然に囲まれた南紀の地で筆を走らせた芦雪。そして〈龍図〉と〈虎図〉が生まれた。

「芦雪であればリアリティのある龍や虎だって描けるはずですし、それこそ誰が見てもうまいなっていう龍や虎が描けると思うんですよね。でも、この絵の龍と虎、この二体が出てきたっていうのは、やっぱり和歌山の空気、この土地の風土が芦雪をそうさせたんでしょうね」

（日曜美術館　二〇一四年六月八日放送）

美術館を旅する

伝わる寺宝を守る心

「ここは串本　向かいは大島」。串本節の一節である。

串本は、名古屋から行っても、大阪から行っても遠い。紀伊半島の最南端に位置し、そこから太平洋に突き出した潮岬（しおのみさき）半島と、その東に浮かぶ紀伊大島を擁する、複雑な形状の

【上】〈布袋・雀・犬図〉(長沢芦雪、1786-1787年、紙本淡彩、三幅対)
【下】〈猿廻し図〉(長沢芦雪、江戸時代、紙本淡彩、金砂子地衝立)

町だ。潮岬と紀伊大島は、一九九九年(平成一一)に開通したくしもと大橋によって結ばれ、交通の便が圧倒的に向上した。串本には、海中から棒のような形の高い岩がにょきにょきと並んで立つ「橋杭岩」という奇勝があるほか、変化に富んだ海辺の景勝が多く、観光スポットとなっている。

市街は、内陸から伸びた潮岬につながる、腕のような細い部分に長く伸びている。東側の海岸を国道四二号線(熊野街道)が走っていて、これが大動脈だが、かつての繁華街はこの国道より内陸を通る東海岸通りであった。昭和の町並みが残っていて、菓子店、写真館、釣具店、旅館、酒店、乾物店といった商店が点々と続いている。果物の産地紀州だけあって、果物店が何軒も目につく。

串本応挙芦雪館のある無量寺は、この東海岸通りから西へ、ゆるい坂道を少し上ったところにある。

無量寺では、係の人がてきぱきと手ぎわよく案内してくれる。山門を入ると、右手にコンクリート造り一階建ての応挙芦雪館がある。三室に分かれていて、長沢芦雪の三点の軸〈布袋・雀・犬図〉、伊藤若冲の〈蕪図〉〈髑髏図〉や円山応挙の丁寧な〈雪中山水図〉などが展示されている。ここで鑑賞する芦雪の〈龍図〉と〈虎図〉はレプリカである。

応挙芦雪館を出て、次に無量寺の大きな本堂(方丈)に進んで襖絵を見る。本堂では、各室の襖絵がもともとそこにあった状態で配置されている。芦雪の〈龍図〉は室中之間~仏間の右側に、〈虎図〉は同左側に入っている。いま、無量寺本堂で見ることのできるこれらの襖絵は、二〇〇九年にデジタル再製されたものだ。そしてここで配置を体感した応挙と芦雪の襖絵の実物を、今度は境内の一隅に建てられた収蔵庫で鑑賞する。

収蔵庫で見る芦雪の〈龍図〉と〈虎図〉の襖絵の迫力には、思わず息を呑む。〈龍図〉の龍は、大胆に垂らされた墨のなかに、やんちゃに描かれている。〈虎図〉の虎は、頭と前脚は正面から描いているが、胴体と踏ん張る後脚は左前方からとらえている。別の視覚を合体して描かれた芦雪の虎が、今まさに飛び出さんとしてそこにいる。

収蔵庫には、ほかにも芦雪の〈唐子琴棋書画図〉や〈群鶴図〉〈薔薇図〉といった襖絵が展示されている。さらに〈猿廻図〉。衝立の表に猿回しの男が描かれ、裏に回ってみると、表の男の手の紐につながれた猿が描かれているものだ。芦雪のユーモアである。

串本応挙芦雪館は、一九六一年(昭和三六)に開館した。「『寺に伝わる宝物を大切にする』という単純素朴な発想から、地域の人々の全面的な協力により日本で一番小さい美術館として誕生した」と美術館のパンフレットは述べている。

この美術館は、今も原点に立ち続けている。

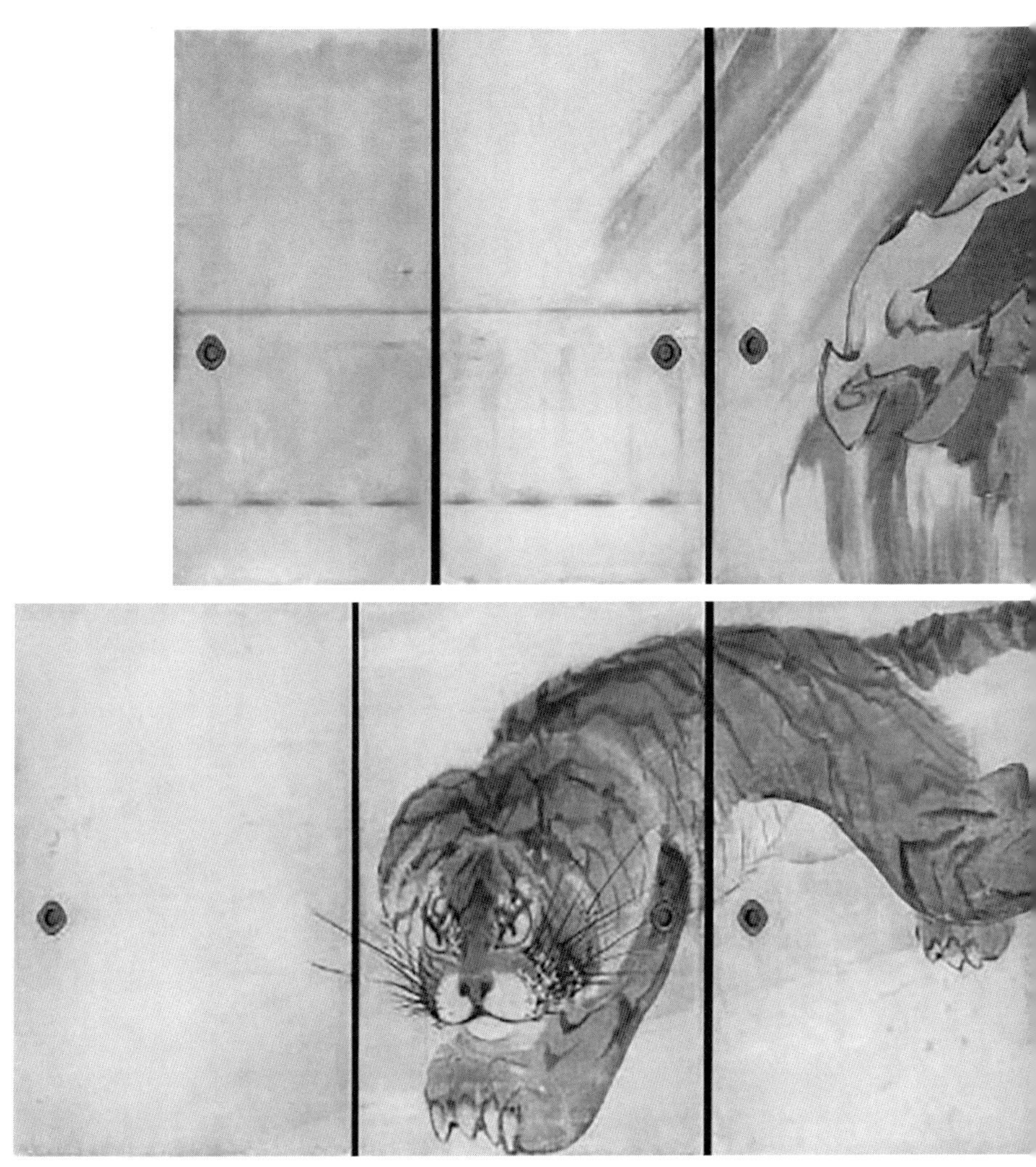

【上】〈龍図〉(長沢芦雪、1786年、紙本墨画、襖６面、重要文化財)
【下】〈虎図〉(長沢芦雪、1786年、紙本墨画、襖６面、重要文化財)

アートのシャングリラへ。

伊藤若冲・与謝蕪村と MIHO MUSEUM

滋賀県甲賀市信楽町田代桃谷300
(〒529-1814)
0748-82-3411

代表的なアクセス

JR琵琶湖線「石山」駅より
バス「ミホミュージアム」行きで約50分

この美術館のウェブサイトはこちらから

〈象と鯨図屏風〉(伊藤若冲、1797年、紙本墨画、六曲一双)

同年生まれの二人の天才

伊藤若冲は一七一六年（正徳六）、京都錦小路の青物問屋に生まれた。

初め狩野派を学んだが、中国の宋元明の絵画も取り入れ、また直接自然を観察することで、独自の画風を開いた。琳派風の装飾性豊かな作品がある反面、飄逸な水墨画も描いている。特に鶏を描いた絵で知られた。代表作に〈動植綵絵〉三〇幅や、〈鹿苑寺（金閣寺）大書院障壁画〉などがある。

生涯独身で、晩年は伏見深草・石峰寺のほとりに隠棲し、一八〇〇年（寛政一二）、そこで没した。

若冲の〈象と鯨図屏風〉（一七九七年）について、二〇〇九年の「日曜美術館」で、美術史家の辻惟雄が語った。

「これ、うっかりすると、じつにつまらない画題になっちゃうと思うんです。象を見たまま描いたりするとですね。それが、何ともいえない、まるで大きなぬいぐるみのような可愛らしい象になっている。それでいて、象の大きさというものが、じつによく出てるんじゃないかと思いますね。

対して鯨の方も、胴体だけ端っこのほうに出しているんですが、鯨のこの大きさ、ボリュームがじつによく出ていると思うんです。

現代のわれわれは、物事をとかく理屈だけで考えがちなんですけれども、若冲の場合、いったいそういうものがあるのかないのか、なにか奇妙奇天烈というか、そういうところがあるんですね」

（日曜美術館 アートシーン 二〇〇九年一〇月四日放送）

与謝蕪村も一七一六年（正徳六／享保元）に生まれた。出生地は摂津国毛馬村（現・大阪市都島区）とされる。

江戸に出て、俳人・早野巴人の内弟子となったが、巴人の没後は関東、東北の各地を放浪し、四〇代になってから京都に住んだといわれる。

俳諧とともに絵画についても独力で習練を重ねたようで、京都の地で、俳人として、また画家としても次第に名声を高めていった。五〇歳を過ぎる頃から、俳諧の宗匠として一家を成すとともに、南画においては池大雅と並び称される第一人者となった。〈夜色楼台図〉、大雅との共作〈十便十宜図〉はともに国宝に指定されている。一七八四年（天明三）京都で没。

二〇〇八年（平成二〇）の「新日曜美術館」で、辻惟雄が、蕪村の〈銀地山水図屏風〉（一七八二年）について、次のように語っている。

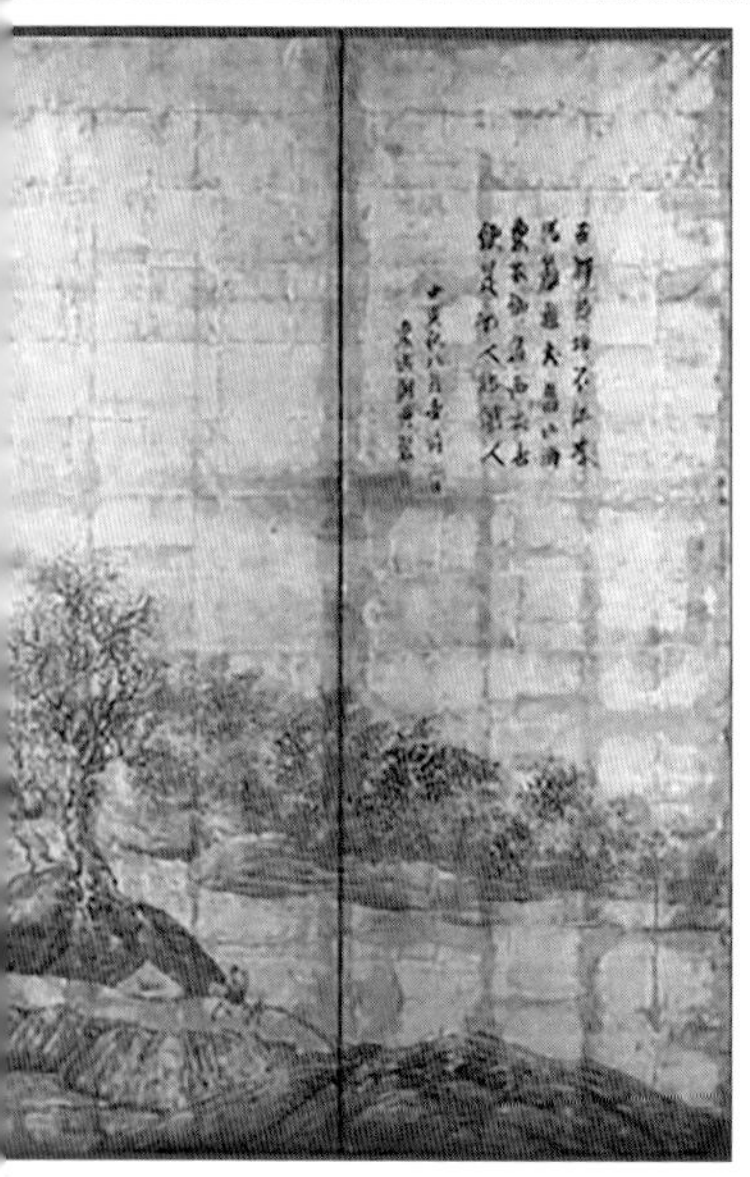

〈銀地山水図屏風〉(与謝蕪村、1782年、紙本銀地墨画淡彩、六曲一双)。右隻(上図)から左隻(下図)につながる一本の道が描かれている。銀箔の上に濃墨がたまり、あるいは流れ、そして淡墨を透かして銀が輝いている。この作品が制作されたのは、蕪村が亡くなる2年前。蕪村画の大成を示している。賛は、両隻ともに元代の漢詩集『聯珠詩格』から採られたもので、文人が理想とした辺境の風景が詠われている

「山水の形を表すだけじゃなくて、そこに、彼がいつもやるように道をつくるんですね。山水のなかの人物を描く時でもやはり道を画面に通して、ずうっと画面を横断させるんです。そこに村落とか宿駅とかがあって、村の人が立ち話をしたりしている。さらに道が行きまして、それが画面の左端まで行かないところで、ふうっと消えてしまうんですね。絵もそこでおしまいという感じで。蕪村という画家は、そういう自分のイマジネーション、想像力が生み出した風景のなかに道をつくって、そこを旅しているという趣なんですね」

（新日曜美術館 アートシーン 二〇〇八年四月二七日放送）

美術館を旅する

古代文明の森

ミホミュージアムへ出かけてみて、まず気がつくことは、この美術館が、ふつうならあり得ないような場所に建設されているということである。

近くに観光地があって人が集まりそうだとか、郊外だが交通の便が比較的いいとか、文化的な施設が集まっていて立ち寄りやすいとか、およそ美術館を建てる時に考えそうな観点からは超越している。市街地から遠い、ほかに何もない山のなかに建設されているのだ。それだけに広大な土地をふんだんに使って、建設者の意図を存分に実現しているようである。

レセプション棟でチケットを購入した後、七〇〇メートルほどの距離ののぼり坂を歩く。ゆっくり運行している電気自動車が走っていて、歩くのに自信がない人はこれを利用することもできる。途中に山を貫くトンネルがあり、このトンネルを抜けると、彼方に寺院の屋根をガラス張りでつくったような形の屋根が見えてくる。美術館棟の入口だ。

屋根の下に立つと、高い天井から四方まで、すべてがガラス張りの空間。パリのルーブル美術館のエントランスの、あのガラスのピラミッドで知られる建築家、I・M・ペイの設計である。

美術館棟の入口から建物に入ると、内部はさらに左右に分かれ、各ジャンルの展示室へ通じている。

蕪村の〈銀地山水図屏風〉は、彼の絵画に多い文人画風の柔らかい絵ではなく、中国の元明絵画などの匂いの強い山水画である。俳画などを描く蕪村が軟派だとすれば、この山水画には厳しい硬派の蕪村がいるようだ。

若冲も蕪村と同じ一七一六年生まれ。つまり徳川吉宗が将軍となった年に生まれたわけだが、象が日本に初めてやってきたのが、吉宗の治世だった。若冲の〈象と鯨図屏風〉もそういう時代の産物だった。この六曲一双の屏風は、高さが一五九・四センチ、左右の全長は三五四センチ。右隻には、鼻を高くあげている象が描かれ、その背中側には牡丹が配されている。左隻には、波頭のあいだで潮を吹く鯨。一双の屛風のなかで、象と鯨が向かい合って対話をしているようにも見える。各隻には「米斗翁八十二歳画」という署名がある。「米斗翁」は若冲の号の一つである。

蕪村や若冲の持つ科学的ともいえる冷静さ、好奇心、自在さといったものは、「享保っ子」に共通のものだったのだろうか。

ミホミュージアムの本領は古代美術だといっていいだろう。紀元前一三世紀のエジプトの〈隼頭神像〉、紀元前九世紀の新アッシリアの〈精霊と従者浮彫〉、紀元前三世紀のエジプトの〈アルシノエⅡ世像〉、二世紀後半頃のガンダーラの〈仏立像〉、日本のものでは、平安時代の仏画〈焔摩天像〉（重要文化財）など、いずれも見応え十分の一級品である。

信楽は、かつて聖武天皇の離宮・紫香楽宮の置かれたところであり、室町時代以降は信楽焼の栄えた土地であった。ミホミュージアムはその信楽の森のなかで、世界各地の古代文明を繰り広げて展観しようとしている。

現代の桃源郷を意図して設計された館は、四季折々の彩に包まれて、入館者を迎えてくれる。

孤独であること。独自であること。

白沙村荘
橋本関雪記念館

京都府京都市左京区浄土寺石橋町37
(〒606-8406)
075-751-0446

代表的なアクセス
JR「京都駅」から
市バスで「銀閣寺前」下車すぐ

この美術館の
ウェブサイト
はこちらから

〈秋桜老猿〉(橋本関雪、1938年、絹本著色)

NHK日曜美術館から

大芸術家の家

橋本関雪は一八八三年（明治一六）、神戸市に生まれた。本名貫一。明石藩の儒者であった父親の橋本海関に学び、絵画は四条派の片岡公曠に、次いで竹内栖鳳に師事する。日露戦争に従軍。一九〇八年、文展に〈鉄嶺城外の宿雪〉が初入選。一九一六年（大正五）、翌一七年と文展で連続特選となり、一躍人気作家となる。日中の古典、歴史、花鳥風月と作域が広く、画法も大和絵や南画を吸収した独自のものであった。一九三五年（昭和一〇）、帝国美術院会員に任命。第二次大戦下では多くの戦争画を描いた。一九四五年（昭和二〇）没。

一九八四年（昭和五九）の「日曜美術館」で、作家の井上靖が橋本関雪との思い出を語った。井上靖は、新聞社で美術記者をしていた頃に、橋本関雪と交流があった。

「戦争の激しい最中に亡くなった橋本関雪。大作家ですね。初めは気難しいから近寄らなかったんですね。大勢の人に聞きましても、橋本関雪のところだけは行かなかった。しかし、何かの時に作品にふれて書きましたら、はがきが来て、ありがとうと。ちゃんと見てくれてありがとう、いつかお会いしたい。そういうはがきが来ましたんで行きました。初対面はたしか……大きな別荘でしたね。ところが行ってみたら、何ていいますかね。早く帰れってな感じなんですね。あの人は詩も書きますし、書も書きます。文人といってもいい、ただ一人の人でしたね。ただ、文人っていう風格でもなく、画家っていう風格でもない、剣術使いっていう感じですね。それも剣道を正統に学んだっていう感じじゃないんですね。修行して今山から下りてきた感じの。で、小柄なんですね。その時たいへんな大家でしたが、いま考えると五〇くらいなんでしょうかね。五四、五でしょうか。亡くなられたのが六二くらいですから。でもたいへんな老人に見えました。私が若かったから」

「関雪は京都画壇でたいへんな流行作家で、たいへんな大家ですけど、孤立派だったんです。それは会ってみてよくわかりました。関雪という人は、非常に孤独だったと思うんです。それはしかし、すばらしいですね。芸術家は孤独でいいんですね。今考えれば、芸術家はだれでも孤独ですね。関雪はそれを隠していない方なんです。それは初対面の時だけじゃなくて、用事があって行きますといつでも、会っているうちに早く一人になりたいんですね。用件が終わったら早く帰ってくれという。でも、早く帰ってくれとは言えないんですよ。だけど何となくね、身振りや顔の形で見えるんです。早

白沙村荘は、約１万平方メートルの敷地に、居宅、３つの画室、茶室、持仏堂などの建造物が建つ。池泉回遊式庭園は国の名勝に指定されている

く一人になって自分一人のことを考えたいなあと思っている。それで、いつも私は用件を済ませたらすぐ立ち上がりました。ええ、すぐ立ち上がりましたね」

「ちゃんとした芸術家の、あらゆる芸術家の持たなきゃならない要素をですね、たいていの人は隠してしまいますね。私だって隠しますね。だけど、橋本関雪は自然に出たんですね。おもしろい、非常におもしろい性格でしたね。しかし、芸術家が、すべての大芸術家が持っているべき性格ですね」

（日曜美術館　一九八四年一月二九日放送）

美術館を旅する

愛妻とともにはぐくんだ庭

橋本関雪が、自分の住まいとして手塩にかけて造営した白沙村荘は、美術館として公開されている。

白沙村荘は、銀閣寺への上り口という、行きやすい場所にある。白川通今出川の交差点からほど近く、南から哲学の道を歩いた締めくくりに寄っても良いところだ。周囲には食事のできる店もたくさんあり、にぎわっている。ここに、大正時代までは田んぼが広がっていたというから、驚く。京都も変化しているのだ。

庭園も建造物の設計も、すべて橋本関雪が自ら手がけた白沙村荘。
平安から鎌倉時代にかけての石像美術品が多く置かれている

橋本関雪がこの地に居を定めたのは、一九一六年（大正五）。そのことを、関雪の息子・橋本節哉（せつや）が『白沙村人随筆』（関雪の著書、中央公論社）の「年譜に代えて」のなかで、次のように書いている。

「大正五年に銀閣寺畔に家を建てて京都永住の意をかため、遂に歿する日までその家に住んだ。白沙村荘と呼ぶのが之で、彼は死ぬ日まで、その庭を造る、或いは造りかえる事に倦まなかった。彼の言に拠れば、畫（え）を描く事も、庭を造る事も一如不二であるべき、というのであった」

一九五七年（昭和三二）に遺族の手によって刊行された関雪の文集『白沙村人随筆』は一九七七年に再版され、同じ年に兵庫県立近代美術館で関雪の大規模な回顧展が行われた。白沙村荘で『白沙村人随筆』を買い求め、神戸の兵庫県立近代美術館へ展覧会を見に出かけたという往年の関雪ファンも少なくない。そうした関雪ファンは、関雪ならではの文人的な生き方にとにかく魅せられていたのだろう。

文人的という場合、一般には多かれ少なかれ中国的な要素が漂うものだが、関雪の作品では日本的、さらには西洋的なものへ、いくぶん脱した世界が感じられる。関雪のよく知られた作品〈木蘭（ムーラン）〉（一九一八年）などを見ても、中国風俗でありながら、中国的な要素にとどまらない、何か別世界につながるような

幻想的な味わいがある。

晩年は猿をはじめとした動物を数多く描き、「猿の関雪」などといわれたが、この画家の生涯の制作を見渡すと、非常に柔軟な芸術家であったことがわかる。

白沙村荘の庭園の入口は、今出川通りに面した北門である。この北門から入って左手、南北に走る鹿ケ谷通りの路地に面して、今は閉じられている門がある。これが東門で、かつてはここから入ると、小さな流れに架かる橋を渡り、母屋に入れるようになっていた。

関雪の住まいだった母屋は非公開だが、その南側に複雑な形の池があり、池の東側に立つと、大きく見える建物がある。関雪が屏風の制作を行っていた画室・存古楼だ。池の南のはずれには倚翠亭・憩寂庵という瀟洒な茶室があり、存古楼の西には持仏堂、池をはさんでその西側に美術館がある。美術館は二〇一四年（平成二六）の開館である。庭の至るところに、関雪が収集したという石仏・石塔の類が点在している。庭木はいずれもかなり大きくなっていて、紅葉する木が多く、秋には全庭紅色に包まれて風景は一変する。

白沙村荘は関雪の下絵やスケッチなど貴重な資料を大量に保存しているが、完成作は多くはない。ここは、関雪の芸術の生み出された環境にふれ、関雪という画家に思いを馳せる場所である。

〈木蘭〉（橋本関雪、1918年、絹本著色、六曲一双）。老病の父に代わり、男装して従軍した娘の木蘭が、各地で勲功を上げ、自軍を勝利に導いて帰郷するという、中国民話のストーリーが画題になっている

孤独な関雪は夫人を深く愛した。白沙村荘の庭も家も、ありきたりの自邸ではなく、夫人とともにはぐくんだ大切な世界であった。夫人の死後、関雪は記している。

「家内を逝かしてからの私は、荒漠たる曠野の中に彷徨する旅人よりも一層寂寥たる私である。死後はじめて意識したことであるが、私が畫をかくこと、家を建てること、庭を作ることも、みな、家内あっての私であった。肉體こそ別個に動いては居たが、異體同心、今日まで一つになって歩んで来て居たことをはっきり知ることが出来る」（『白沙村人随筆』）

憩寂庵は、関雪が夫人のために建てた茶室。ここで茶会をすることを楽しみにしていた夫人は、茶室の完成を待たずに亡くなってしまった。『白沙村人随筆』はこう記す。

「東坡の語を思ひ憩寂庵とつけた。私も家内も、長い人間生活の爲に疲れて居る。安住の場所を求めつゝあった。憩寂。老後を楽しむ茶室には相應しい。さう思ってつけた名であった。それが亡妻の魂を寂かに憩はす處とならうとは誰れが思ひ設けよう。今は、一木、一草、みな追憶の種である。私は朝に夕に、その茶室のあたりの石に水を打ちつゝ、胸に大きな空虚を抱きながら、一日一日、青寂びてゆく石の一つ、一つを墓石とみて、限りなき追慕の情に耽けるのである」

ドアの向こうに、美の宇宙。

村上華岳・山口薫と
何必館・
京都現代美術館

京都府京都市東山区祇園町北側271
(〒605-0073)
075-525-1311

この美術館の
ウェブサイト
はこちらから

代表的なアクセス
京阪本線「祇園四条」駅下車、徒歩３分
あるいは阪急京都線「京都河原町」駅下車、徒歩５分

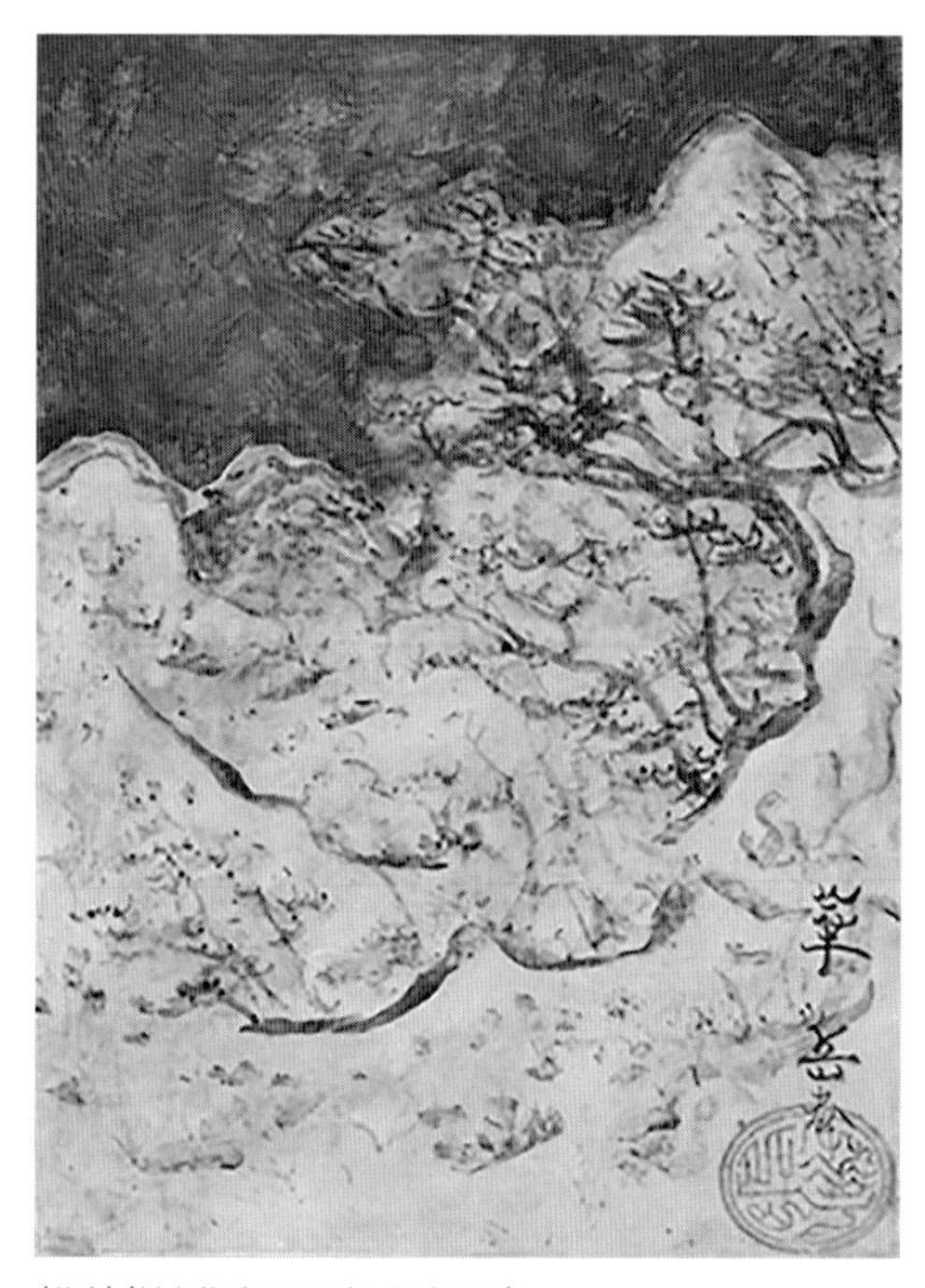

〈秋寂〉(村上華岳、1938年、紙本墨画)

宗教につながる美

村上華岳(むらかみかがく)は一八八八年（明治二一）、大阪で生まれた。生家は武田姓の医師であったが、一七歳の時、神戸の村上家を継いだ。本名震一。京都市立絵画専門学校（現・京都市立芸大）卒。同期に土田麦僊(つちだばくせん)や小野竹喬(おのちっきょう)らがいて、彼らと一九一八年（大正七）、新しい日本画を求める運動を興し、国画創作協会を結成した。華岳はこの協会展のほか、文展にも出品して活躍したが、昭和に入る頃から作品の発表をやめ、持病の喘息に苦しめられながら、制作を続けた。一九二九年（昭和四）没。

一九九〇年（平成二）の「日曜美術館」で、染織家の志村ふくみが村上華岳を語った。

「私が初めて華岳を見ましたのは、一七、八歳だったと思います。上の兄が華岳をたいへん尊敬していたものですから、画集を買って参りましてね。それを見ました時に非常に感動いたしました。特に山水は、私には印象深くて忘れられなかったのです。その後何年か経って、京都の美術館で華岳の大きな展覧会がありましてね。そこでもやはり山水に惹(ひ)かれて、何時間か没頭して見ていたのです。夕方になって美術館を出て、いつもならほっとして京都の東山を見るのですが、その日に限って東山の山が汚いなあ、という感じがいたしました。これはどういうことかしらと思ったのですが、やはり華岳の山は、山を描きながら単なる山ではなくて、山の霊性といいますか、気品のようなものを発散していたのだろうと思います。華岳自身、線の行者といわれていますように、線を重大視していて、画論など読みますと、線というものはあるいは前世からの因縁ではないだろうか、ということを言っておられますね。私も、線を描くというのは、本当に内面の一番深いところから出てくる造形だと思います。ですから、それは宇宙的なものといっても良いですし、宗教的なものといっても良いですし、単なる線ではなく、その代わりのものが山なら山の向こう側から現れて、その線が実は本当の線で、それが線の行者といわれた村上華岳が追求した世界だったのではないかと思うのです。どれも心を打たれますけれども、とくに私は〈秋寂(しゅうじゃく)〉（一九二八年）という絵を見ますと、山の一部の、冬がだんだん迫ってくる、どこからか冷たい風が吹いてくる表情なのだろうと思いますが、魂の一断面といいますか、心のなかを描いているのではないかと思います。華岳にとって、山水を描くときも仏像を描く時も、心は一つだと思いますが、山水も、深いところで宗教画になっているのではないかしらと思います。〈山嶽図(さんごくず)〉（一九二八年）を見ましても、筆がすべったとか、思いがけない線が出たというようなところまで、隅から隅まで生きていて、自分がこういうふうに描こうとし

〈太子樹下禅那図〉(村上華岳、1938年、紙本著色)

ている以上のものがそこに立ち現れてきているのですね。それはもう、線の動きが、互いに呼応しているといいますか、呼び交わしているといいますか、そういうものの集積で、山は山なのですが、自分の心象といいますか、心の内を描いているのではないかという気がいたします」

（日曜美術館　一九九〇年六月二四日放送）

作家で僧侶の瀬戸内寂聴が二〇一二年（平成二四）の「日曜美術館」で、村上華岳の〈太子樹下禅那図〉（一九三八年）について語った。

「これは、晩年に描かれたのですね。華岳は仏教に対して非常に深く興味を持つというか、惹かれたのでしょうね。だから思想の根本には仏教があったのではないでしょうか。仏様をたくさん描いていますけれども、最初はね、華岳が描いた仏様は、仏様とは思わないで、美男美女だと思ったんですけどね。でも、こういう作品を見ると、最晩年に、お釈迦様が悟りを開かれる前を描くなんて、やっぱり華岳にはそういう憧れがあったのでしょうね。どの程度信仰を持っていたのかはわかりませんけれども、こんなに美しい仏像を描くということは、やっぱり華岳のなかで仏様が非常に大きな地位を占めていたのではないでしょうか。若いお釈迦様が悟りを開く時、本当はもう、痩せて、汚くなっているのですけれど、こういうふうに美しく描かれますと、ほっとします」

華岳の魅力について、さらに瀬戸内寂聴の言葉。

「やっぱり美しいということです。華岳の絵を見たら、ああ美しいと思って、まず打たれます。それが一番の魅力ではないでしょうか。だから、美しいということにいろいろ理屈をつけることはないのです。ああ美しいと思ったら。それに溺れたらいいのではないかしら。それが何か救いになるのではないですか。エロティックなところと、崇高なところが同居していますでしょう。そういうところが理屈ではなしに見る者を包んでしまうのでしょうね。こういう絵が描けますとね、死ぬのが怖くないのでしょうね。だから死ぬ前にこういう絵が描けたということは、華岳にとってはたいへん幸せだったのではないでしょうか」

（日曜美術館　二〇一二年五月一三日放送）

NHK日曜美術館から

絵本のように感じる絵

山口薫は一九〇七年（明治四〇）、群馬県に生まれた。東京美術学校（現・東京藝大）西洋画科卒。在学中から、帝展、国画会展などに出品した。一九三〇年（昭和五）、卒業と同時に渡欧し、フランスをはじめ各国を歴訪し、三年後に帰国、翌年、新時代洋画展の創立に参加。一九三七年には自由美術家協会の創立、戦後はモダンアート協会の創立に加わった。サンパウロやベネチアのビエンナーレに出品。一九六四年からは東京藝大の教授をつとめている。一九六八年（昭和四三）没。

二〇〇一年（平成一三）の「新日曜美術館」で、俳優の米倉斉加年（よねくらまさかね）が山口薫の世界を語った。米倉は、ボローニャ国際児童図書グラフィック大賞を、一九七六年と七七年の二年連続で受賞している絵本作家でもある。

山口薫の最晩年の作品〈おぼろ月に輪舞する子供達〉（一九六八年）を語る米倉。

「言葉で描かれた絵のような、たくさんの言葉が、この画布の奥から出てきて、聞こえるような感じがします。絵本のように感じる絵。絵本の一ページ。ここから膨大な作品、物語ができるような、そういう言葉の多い作品だということをまず考えました」

「僕は（画面上部を指して）この空間と（画面下部を指して）この空間がほぼ一緒になっているのが気になります。いろいろな言葉が聞こえてきますが、もう一つの世界と現実の世界と、その狭間にすっといる芸術家の魂みたいなものを感じます。このサークルのなかにある菱形は、故郷を象徴するような、子供の頃からつながって来ている、文化かもしれないし、長い伝統かもしれません」

山口薫が残した言葉がある。「率直にいって私は自分の根っこが欲しいのだ。しかし私にとってはそのことは私以外のことに属する。それよりも私には大切なことがある。それは何」。

この言葉を携えて、米倉は山口薫の故郷・群馬県箕郷町（みさとまち）を訪ねた。

「山口薫を構成しているもの……人間というのはでき上がってから思考しますが、（指先で何かをちぎるようなしぐさをしながら）そうなる前の一つひとつ、そういうものって、彼が生まれた故郷の、この田んぼだったり土だったりね、何かそういうことなのではないかな。そういうところにちゃんといないと、根っこが何かを吸い上げてきてそれで生きるとするならば、自分の無、もっと昔からあるものなのかな。もうそれこそ地球ができて、アメーバができた頃からの……根っこというのは、そういうことなのかなと思います」

（日曜美術館　二〇〇一年七月二二日放送）

美術館を旅する

祇園の真ん中に美術館

四条大橋を西から東へ、鴨川を渡り、八坂神社までの四条通は、京都観光をすれば一度は歩く道である。

祇園（ぎおん）は、この道の南北にひろがる町。お茶屋の一力亭（いちりき）があり、折がよければ舞妓さんとすれ違うこともある。

書院から八坂神社を望む

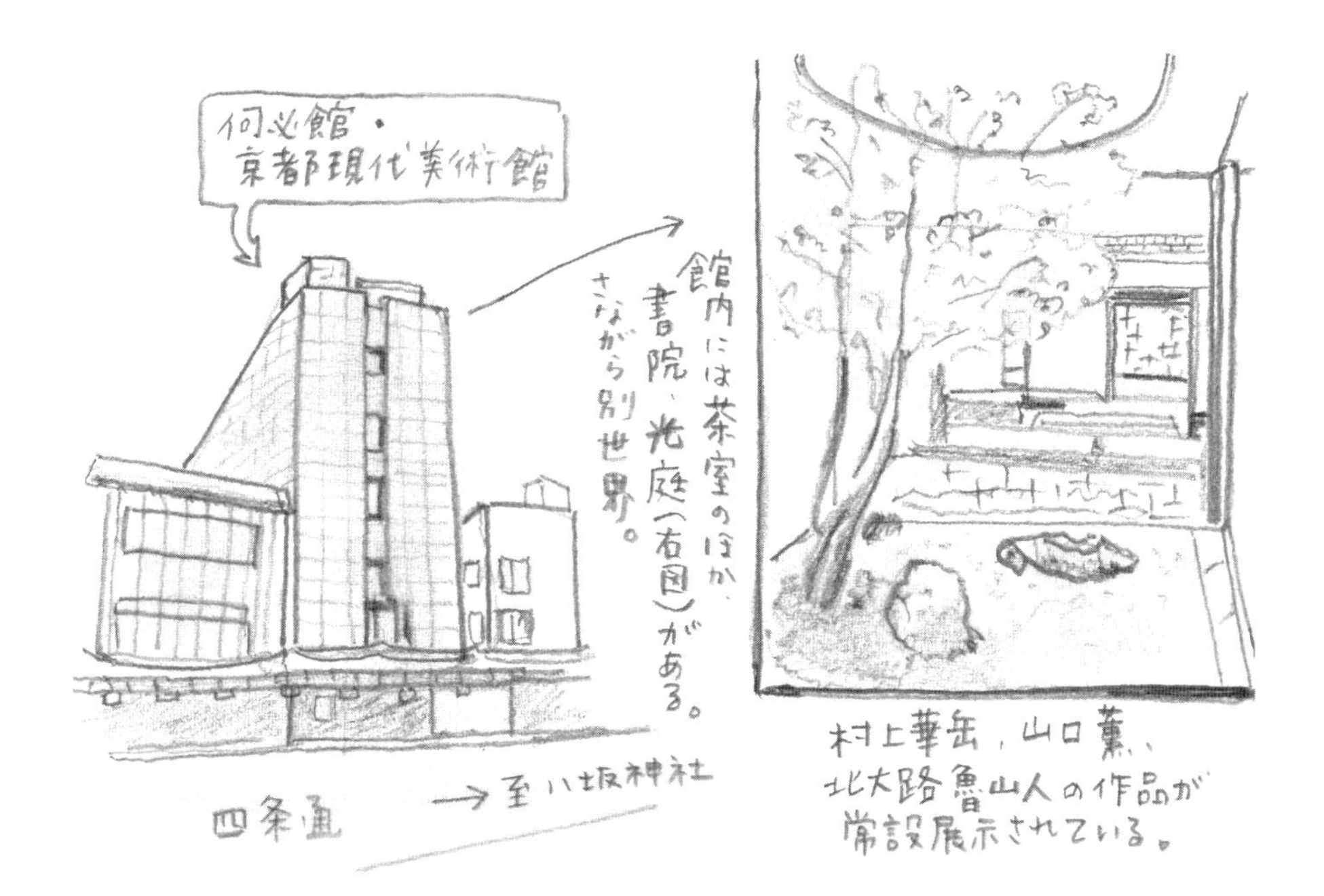

〈おぼろ月に輪舞する子供達〉（山口薫、1968年、油彩・キャンバス）

何必館(かひつかん)・京都現代美術館は、この祇園の真ん中に、通りに面して建っている。並んでいるほかの商店と同じように、通りからドア一枚開けただけで、すっと入ることができる。

郊外の丘の上にある堂々たる大美術館もいいが、にぎわいのなかで、ふっと別世界にまぎれ込める、街なかの美術館の妙味はまた格別である。

何必館のコレクションは、すべて館長の梶川芳友(かじかわよしとも)の鑑識眼によって集められたものだ。彼は、自らが画廊を経営していた場所に、美術館を構想し、建設した。

何必館の何必は、「何ぞ必ずしも」の意味で、定説を疑え、ということだという。梶川は一見優しい紳士だが、反骨を秘めた人物。おそらく、青年時代からの初志をブレずに貫いて、美術館を実現したのである。彼が出会った数多くの画家たちのなかで、とりわけ彼が愛してやまなかった画家は、村上華岳と山口薫だったようである。

村上華岳の作品は〈山嶽図〉〈太子樹下禅那図〉〈秋寂〉や〈崔嵬繊月(さいがいせんげつ)〉〈武庫山春雲(むこやましゅんうん)〉(ともに一九三六年)など数多く、山口薫の作品も〈おぼろ月に輪舞する子供達〉のほかに〈花の像〉(一九三七年)、〈娘二人像〉(一九五六年)、〈ある時ある日白い雨〉(一九六一年)、〈ある春の唄〉(一九六六年)、などが収蔵されている。

梶川は、かつて美術雑誌で村上と山口の作品を解説を添えて紹介していたが、たとえば、村上の〈懸崖夕照図(けんがいゆうしょうず)〉についてこう書いている。

「華岳の山水が想像によりながらも、よく自然の風趣をつかんでいることは驚くばかりです」(「求美」一九七二年春号)

また、山口薫については、次のような言葉を寄せていた。

「山口薫は、画家であると同時にすばらしい詩人である。(中略)戦後の激動期にあって、黙々と自己の信ずるがままに、具象絵画の新しい展開にむかって、精進を続けた山口薫の作風は、そのモダンなハイセンスと、東洋的な思想性が混然ととけ合って、独自の芸術を次々と生みつつあった。昭和四十三年、五十五歳で急逝した山口薫は、純粋なひとりの芸術家として、その完成を見ることはできなかった。しかし、その遺されたいくつかの作品から詩人の魂を、すぐれた芸術性を、うかがうことができる」(「求美」一九七二年夏号)

京の町家そのままに、間口が狭く奥行きの深い美術館の建物は地下一階、地上五階建て。地下は北大路魯山人作品室。一階から五階まで展示室が設けられ、五階には梶川自身が設計した茶室と坪庭(光庭)がある。以前は二階と三階で村上華岳と山口薫の常設展示が行われていたが、近頃は全館を使ってさまざまな特別展が開かれることも多い。

何必館・京都現代美術館の、市街と文化を切り離さないあり方は、梶川芳友という個人の発想によって実現した。そして同時にそれは、やはり京都の文化的な風土があって初めて可能だったのではないかと思われる。

用の美に刮目（かつもく）する。

河井寛次郎と
アサヒビール
大山崎山荘美術館

京都府乙訓郡大山崎町銭原5-3
(〒618-0071)
075-957-3123

代表的なアクセス
JR京都線「山崎」駅、阪急京都線「大山崎」駅から
徒歩約10分

この美術館の
ウェブサイト
はこちらから

「新日曜美術館」で紹介された河合寛次郎の香炉(左)と李朝の香炉(右)

朝鮮陶器の美の発見

河井寛次郎は一八九〇年（明治二三）、島根県に生まれた。生家は安来市の大工の棟梁。東京高等工業学校（現・東京工大）窯業科を卒業後、一九一四年（大正三）京都市立陶磁器試験場の技師となる。二年後に入所してきた濱田庄司と交流、試験場を退職し、二〇年には自分の窯を持ち、中国陶磁の釉薬などを研究する。その後、濱田を介してイギリスから帰国した柳宗悦と知り合い、雑器の美に目覚めた。三七年（昭和一二）、パリ万博で〈鉄辰砂草花丸文壺〉がグランプリを受賞。戦後、五七年には〈白地草花絵扁壺〉でミラノ・トリエンナーレのグランプリを受賞した。一九六六年（昭和四一）没。

一九九八年（平成一〇）の「新日曜美術館」で、陶芸家の和田守卑良が河井寛次郎の作品を語った。

「（初期の作品〈青華鳳凰文瓶〉を前に）これが、河井寛次郎さんの作品なんですけど、すごく珍しい作品です。河井さんのこういう作品は、私も見るのは初めてです。河井さんの本当に若い時分、最初の頃の作品。古い中国風のやきものを、一所懸命つくっておられた、という感じです。でも、まだ線が非情に硬い。一所懸命につくっておられるけれども、まだ自分に気づいておられない。そういう感覚がありますね。おもしろいと思うのは、箱書きの文字が、私が知っている河井さんの字とまったく違う。これはこれで立派な文字だと思いますが、私などの知っている河井さんの文字というのは、もっと生き生きとして、それこそちょっとクドいくらいの感覚なんです。この箱書きの文字は、作品には一致しているように思います。こういう仕事をしていた河井さんが、柳宗悦さんに出会うんですね。柳さんと会って、河井さんは自分自身に気がついたんだと思います。本来自分が持っているものを、もっと出していく方向へと動かれた。（隣に二つ並んでいる香炉を指して）ここに一つの例があります。右側が李朝のもので、それを河井さんが自分流に、しかもできるだけ忠実に写しているんです。これは、大した写し方だと思います。もともと李朝の削りもパッパッと相当に荒っぽいですが、河井さんもその調子を出そうとしています。こういうものが、後に河井さんが変わる原動力になったのではないかと思うんですね。で、やっぱりこういう民藝の人たちの基点となったのは、朝鮮の発見なんですね。柳さんが朝鮮半島に旅行して、朝鮮半島の民家で使われていた陶器とか、絵とか、そういうものに触発されて、柳さんの民藝論というものが出てきたのだと思います。それぞれの作家の方も、まず朝鮮に魅せられていますね」

朝鮮のどういうところが魅力だったのか。

【上】〈スリップウェア線文鉢〉(河井寛次郎、1930年頃)
【下】〈海鼠釉片口〉(河井寛次郎、1933年頃)

〈三色打釉手壺〉(河井寛次郎、1961年)

〈青磁釉辰砂差瓶〉(河井寛次郎、1924年頃)

「日本で尊重されていた朝鮮の陶器は、上物といういい方をするのですが、王様のためにつくられたものとか、手が込んで端整であるとか、そういうものが、日本へ来て宝物とされていたわけです。柳さんが発見したのは、そういうものじゃなくて、朝鮮半島の民衆が日常に使う器として、自由に健康につくられていたものたちです。今まで美術と見なされなかったそういう日常の器にも、すばらしい美があるということを柳さんが取り上げたんです。民藝の大きな手柄ですね」

(新日曜美術館 一九九八年一〇月二五日放送)

美術館を旅する

石のテラスのある別荘

JR山崎駅から、アサヒビール大山崎山荘美術館までは、送迎バスがある。この送迎バスで印象的だったのが、非常に丁寧なアナウンスをする高齢の運転士。

「このバスは皆さまをアサヒビール大山崎山荘美術館までご案内いたします」

声の調子がやわらかく、何か英国のお屋敷で丁重にもてなされているような気分にさせられる。

バスは急な山道をどんどんのぼって行く。バスを降りてから少し歩いて、建物の前に出た。そこに建つ大山崎山荘美術

館は、小林一三記念館（旧・逸翁美術館）によく似ていた。
　大阪府池田市にある小林一三記念館の建物は、現在は宝塚歌劇の生みの親としても名高い実業家・小林一三の業績を紹介する施設になっているが、二〇〇九年（平成二一）までは、小林の美術コレクションを公開する逸翁美術館であった（逸翁美術館は現在、記念館のほど近くに新設・移転している）。小林一三記念館は、小林の旧邸宅を活用しているが、大山崎山荘も、もともとは関西の実業家・加賀正太郎の別荘であった。加賀と朝日麦酒株式会社（当時）の初代社長山本爲三郎との間に親交があったところから、加賀の死後荒廃していた山荘をアサヒビール株式会社が復元し、美術館として再生させたのである。

　英国風というのだろうか、屋根の勾配と、壁と木組みの色調が調和し、白い窓枠のひき立つファサードの部分など、見ているだけで気分の良くなる洋風建築である。復元された二階建て（部分的に三階建て）の本館のほかに、左右に新しい展示館が建てられている。

　本館の一階と新館には、主として加賀正太郎関係のコレクションと西洋絵画が、二階には山本爲三郎が支援した民藝運動関係のコレクションが展示されている。

　加賀正太郎は夏目漱石と交流があり、漱石はこの大山崎山荘を訪れていた。一階の展示室には、漱石が加賀に宛てた手

本館２階のテラスからの風景

紙などが展示されている。蘭の花を愛好した加賀が、戦後、自ら監修して制作した一〇四図に及ぶ〈蘭花譜〉の一部が、本館の一階と新館に展示されていた。モネの〈睡蓮〉、モディリアーニの〈少女の肖像（ジャンヌ・ユゲット）〉、クレーの〈大聖堂（東方風の）〉など、西洋絵画も鑑賞できる。

二階は小展示室が多く、河井寛次郎をはじめ、濱田庄司、バーナード・リーチ、富本憲吉、芹沢銈介、黒田辰秋など、柳宗悦の民藝運動の作家たちの作品が各部屋に展示されている。河井寛次郎の〈呉須筒描花文碗〉〈スリップウェア線文鉢〉、濱田庄司の〈鉄釉蠟抜文皿〉、富本憲吉の〈鉄絵梅竹文皿〉などは、それぞれの作者の特色を表す作品である。一七〜一八世紀のオランダ陶器なども飾られている。

本館の内部は、高い天井の木組み、ステンドグラス、階段の手すり、総タイルのバスルームまで、洋風建築としても見どころが多い。

特に立ち去り難かったのは、二階の南側にある石造りのテラス。思いっきり外に開放された空間で、床もテラスを囲む手すりも、どっしりした石でできている。しかも建物は自然の緑にたっぷりと包まれている。喫茶室になっているこのテラスから眺めるのは、木津川、宇治川、桂川が流れる雄大な京都の山河である。

世界美術史のなかの、日本近世。

松浦屛風・琳派と
大和文華館

奈良県奈良市学園南1-11-6
(〒631-0034)
0742-45-0544

代表的なアクセス
近鉄奈良線「学園前」駅から
徒歩7分

この美術館の
ウェブサイト
はこちらから

国宝〈婦女遊楽図屛風〉(通称「松浦屛風」、江戸時代前期、紙本金地著色、六曲一双)。【上】右隻、【下】左隻

豊かさのスケール

二〇一〇年（平成二二）放送の「日曜美術館」が、大和文華館の初代館長・矢代幸雄が収集した美術品の一つ、国宝の〈婦女遊楽図屏風（通称「松浦屏風」）〉（六曲一双）を取り上げた。語り手は大和文華館学芸員の中部義隆。

「豊かな表情には特色がありましてね。ここに描かれているのは遊女ですが、非常に健康的なのです。周りに媚びた雰囲気がまったくない。姿勢も本当に堂々としています。着物を見ても、当時最高位の遊女であったと思います。最高の着物を着ていた人びと。ということでおそらく、豊穣さの象徴になっているような人物像なのです。

この作品は、人物像と同じくらいの熱意で着物や調度品を描いていますでしょ。着物の表現の仕方が、絵画的に陰影をつけたり丸みつけたりというのではなくて、実際の布きれをそのまま貼りつけたかのような、直接的な表現になっているんですね。調度品も熱心に描かれていまして、一番よくわかるのが、右隻の中ほどにある硯箱です。蒔絵の状態ですとか、硯石が乾いた調子まで細かく描かれているんですね。しかもおもしろいのが、その右手の煙草の火入れは地面に置かれています。それに対して、硯箱は地面に立っている。そういうことをするのは、そこまでして中身を見せたいという気持ちがあった。そのためには合理的な位置関係まで無視して、モノの魅力を前面に出している。ですからこの絵は距離をおいて眺める絵画というのではなくて、モノ自体のもつ豪華さというものを、前に前に押し出してきている絵なんですね」

そして、矢代幸雄のこの屏風への視点について。

「矢代さんは、西洋の美術史に精通されていました。西洋ではこの程度のスケールの群像表現というのは、ギリシャ・ローマ以来あるでしょうね。では、日本ではそういうものはなかったのか、というところで、この作品に出会われたということだと思います。趣味のわるい絵だ、という方もおられるでしょうが、矢代さんの世界美術史という枠組みから見ると、非常に力のある、スケールの大きな作品として評価すべきだ、ということだったのだと思います。伝統的な古美術の視点からのみ見るのではなく、国際的な視野で日本美術を見直してみましょう、という考えがあったのだと思います」

（日曜美術館　二〇一〇年一一月一四日放送）

NHK日曜美術館から

細部に宿る

さらに中部義隆が琳派の名品を語った。

重要文化財の尾形光琳作〈扇面貼交手筥〉。

「これは、桐の箱に金箔を貼りつめたものに、琳派の大成者・尾形光琳が描いた八面の扇面と四面の団扇を貼り込んだ作品です。扇子や団扇の扇が浮き上がって見えるのは、『盛り上げ彩色』といって、胡粉の粉みたいなもので盛り上げて半立体にする技法です。光琳という人は呉服商の家に生まれていますから、幼少期からきらびやかな呉服のなかで育っています。これだけあざやかな色を使える画家は、日本に画家多しといえども、そうはいないと思います」

重要文化財の尾形乾山作〈武蔵野隅田川図乱箱〉。

「乾山は光琳の弟ですが、光琳に比べると、ナイーブなところを表現できた絵師だったといえます。この桐の箱に描かれた作品、見込みの絵のところを見ていただきたいのですが、波が立っている様子です。波の質感といいますか、それが赤ちゃんのほっぺたみたいに柔らかいでしょう。そういう調子とか、竹を割ったようなさっぱりとした質感。間を金のかわいらしい水鳥が飛んでいる。非常にいい夢を見た際に残った残像みたいな、ロマンチックな絵が描ける人なんですね」

伝俵屋宗達作〈伊勢物語図色紙　六段　芥川〉。

『伊勢物語』の芥川という場面は、永く思いをかけた女性がいたけれども、うまく運ばなかったのが、ようやく女性を盗み出して、夜中に芥川のほとりに来ました、というものです。女性をおぶっているんですが、彼女は深窓の令嬢で、外の景色を知らない。地面のところに細かいつぶつぶがあります。このつぶつぶはもともとは銀色で、夜露を表していたんです。それが光ってキラキラして美しい。それを見た女性が、あれはなんですか、と後ろから耳元で囁いている。その声に男性が振り返るのが、この絵に描かれている場面です。宗達の筆と伝えられるのは、その場面が真に迫って描かれているからです」

（日曜美術館　二〇一〇年一一月一四日放送）

美術館を旅する

大和路で満喫する芸術美

大和文華館は、近鉄奈良線の学園前駅から、帝塚山学園前の坂を降りて、歩いて一〇分ほどのところにある。

受付を通った後、うっそうとした松林のなかのカーブした坂道をのぼって行くと、文華館の建物の正面に出る。お城の櫓を思わせるような、広い漆喰面に小さな窓のある、どっしりとしたコンクリート造りの和風建築だ。吉田五十八の設計。一九六〇年（昭和三五）の開館。半世紀を超える歴史がある。

一九四六年、当時の近畿日本鉄道社長種田虎雄が矢代幸雄に設立を依頼したのが大和文華館の始まりである。矢代は一九二五年（大正一四）という早い時期に、ロンドンで英文の著書『Sandro Botticelli（サンドロ・ボッティチェッリ）』を出版し、世界的に評価された美術史家である。矢代は初代館長だけではなく、実質的にこの美術館を一からつくった人物であった。その矢代が、美術館の夢を記している。

「種田さんと私と楽しく話し合つたことは、大和の自然美、引いては日本の自然美を味はんがために、気持のよい設備を作り度いといふことでありました。一体、芸術美の源は殆んどすべて自然美でありますが、自然の研究はいつの間にか科学の領分となつて、芸術の研究より截然と別れ、自然科学は専ら学問的整理にばかり急いで、自然美を芸術的に、謂はば人間的に味ふことから遠ざかつてしまひました。（中略）然るにこの大和の自然美、山川草木、花鳥風月それ等のうちに、それ等と密接なる関係を以つて育つた生活芸術、民家や民藝等を、我々は、よく味はひたいと思つても何処へ行つたら味へるでせうか。種田さんと私とは、将来の大和文華館の建設を想像して、自然美と芸術美を兼備した、美しい夢を胸に描いたのでありました」

（『大和文華』第一号、一九五一年）

一階のフロア全部が仕切りなしの展示室になっている。入って少し右奥に進むと、この美術館のスターともいうべき〈婦女遊楽図屏風〉（松浦屏風）がすぐに見える。〈松浦屏風〉という通称は、かつてこの屏風を九州の平戸藩主松浦公が所蔵していたからである。ちなみに、展示室の一番奥に、矢代に美術館の設立を依頼した種田虎雄の銅像がある。

〈松浦屏風〉を見て、思わず引き込まれるのは、この絵には、楽しみに用いる道具・渡来文物がいろいろと描かれているからだろう。喫煙具、天正カルタ、双六、三味線、ギヤマン（ガラス製品）などだ。こうした道具類が、この屏風が描かれた近世初期には、すでに用いられていたということである。

右隻と左隻に描かれている婦女はあわせて一八人。画面に対して人物が大き過ぎるのか、立ち姿の人物が多いからなのか、あるいは伝統的な構図に従っていないせいか、一見した時に〈松浦屏風〉からは、少し異様な印象を受ける。もしかすると何らかの形で西洋絵画、当時の言葉でいえば南蛮絵の影響を受けているのではないか、と想像してみたくなる。

大和文華館の収集品の柱の一つに、琳派がある。琳派の大きな特色は、同じ人物が、絵画でも工芸品でも国宝級の作品を残していることであろう。とりわけ、琳派の祖とされる俵屋宗達（生没年不詳）を継いで琳派を大成した尾形光琳（一六五八—一七一六）はマルチぶりを発揮した。大和文華館には、見込みに光琳独自の流水文を描いた桐の箱〈流水図広蓋〉や、陶芸家として知られる弟の尾形乾山（一六六三—一七四三）がつくった陶器に兄の光琳が絵つけをした〈銹絵菊図角皿〉〈銹絵楼閣山水図四方火入〉などが所蔵される。この兄弟合作は当時、たいへんな人気であったという。乾山は絵画でも光琳とは違った、華やかななかにもわびさびを感じさせる独特の画風を示した。

【上】重文〈扇面貼交手筥〉（尾形光琳、江戸時代）。
【下】重文〈扇面貼交手筥〉の反対面。多岐にわたる画題は光琳のレパートリーの広さを示している。

【上】〈銹絵楼閣山水図四方火入〉弟の尾形乾山が作った陶器に兄の光琳が絵付けをした作品。
【下】〈銹絵楼閣山水図四方火入〉の反対面

三代にわたる美を訪ねて。

上村松園・上村松篁と
松伯美術館

奈良県奈良市登美ヶ丘2-1-4
(〒631-0004)
0742-41-6666

代表的なアクセス
近鉄奈良線「学園前」駅から奈良交通バスで５分
「大渕橋(松伯美術館前)」下車、
大渕橋を渡ってすぐ

この美術館の
ウェブサイト
はこちらから

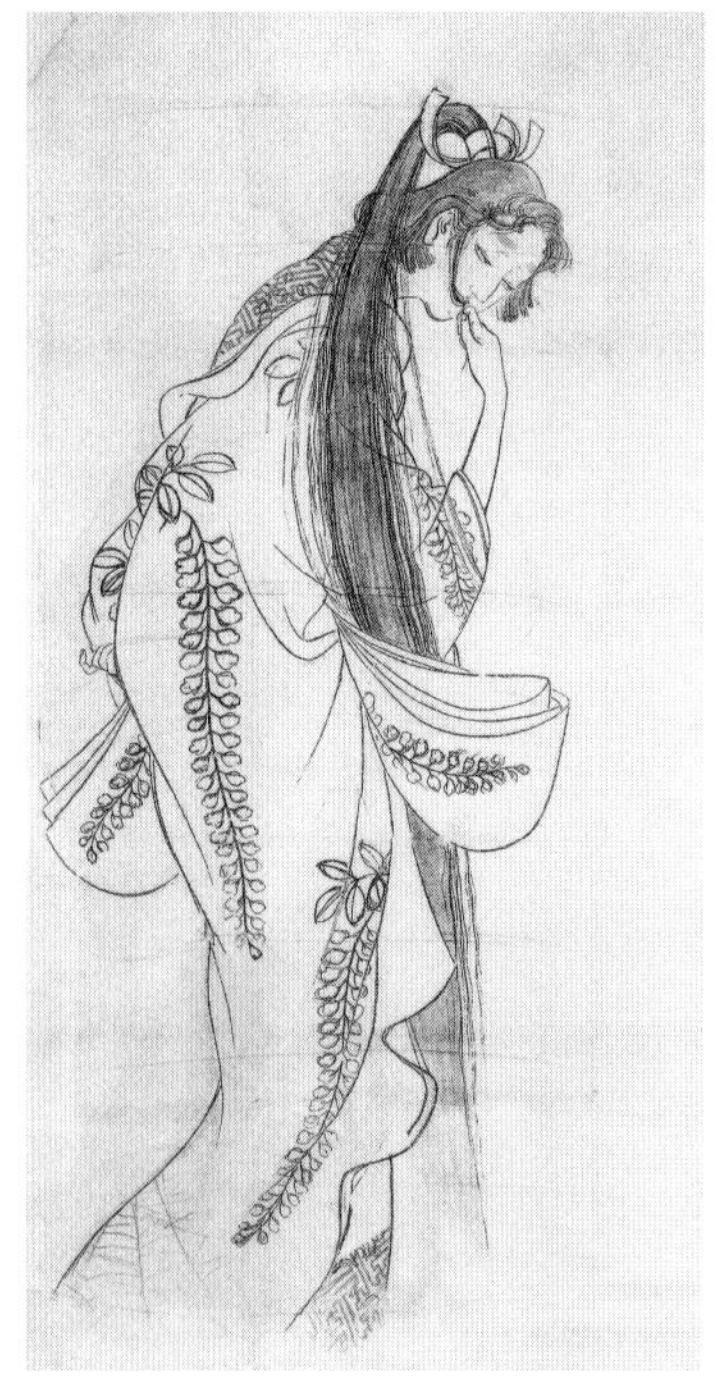

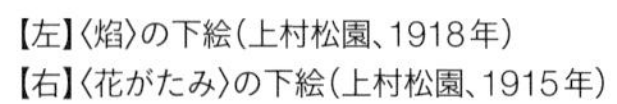

【左】〈焰〉の下絵(上村松園、1918年)
【右】〈花がたみ〉の下絵(上村松園、1915年)

NHK日曜美術館から

画道一筋の人

上村松園は一八七五年（明治八）、京都に生まれた。本名津禰。一八八七年、京都府画学校に入学。翌年退学すると、鈴木松年に師事し、松年没後、幸野楳嶺、竹内栖鳳に学んだ。内国勧業博覧会、日本美術協会、日本青年絵画共進会などでしばしば受賞し、一九〇〇年、日本絵画協会日本美術院聯合共進会で〈花ざかり〉が銀牌を受賞、出世作となった。文展には第一回から出品して文展推薦となり、帝展となってからは帝展委員となる。四一年（昭和一六）、帝国芸術院会員、四四年には帝室技芸員となり、戦後の四八年に、女性で初めて文化勲章を受章した。女性像に多くの名作を残し、〈母子〉（一九三四年）、〈序の舞〉（一九三六年）などは重要文化財に指定されている。一九四九年（昭和二四）、奈良で没した。

新聞社の美術記者時代に、上村松園、松篁の二代にわたって交流のあった作家の井上靖が、一九八四年（昭和五九）の「日曜美術館」で思い出を語っている。

「松園先生のお宅へうかがうのはとてもいい気持ちでしたね。お訪ねしたのは、今、松篁先生のお住まいになっているまったく京都風の家。松園先生に、新聞記者として何か一言お聞きしたいというような用事があったんです。三回か四回、おうかがいしています。京都風の居間で、ひんやりとして暗くて、長尾雨山の〈虚白〉という額が掛かっている。小さい応接間ですが、何ともいえない特別な『箱』だと思いました、僕は。そこに入るのがとても楽しみだった。相手が偉い人ですからね、そうしげしげと訪ねることはできませんね。用事が済んで、それから立ちまして、靴を履いて玄関から出ますね。そして最後にちょっと後ろを振り向いて、もう一回お辞儀をしようとしましたら、いつでもすばらしい美人のね、松園先生が玄関へ入る縁側のところでお座りになって、ピシッと頭を下げている。形が決まっているんです。そして玄関を出ましたら、こちらの心も体も洗われている気持ちでした」

（日曜美術館　一九八四年一月二九日放送）

二〇一〇年（平成二二）の「日曜美術館」では、松園の孫・画家の上村淳之が、祖母について語った。

「ほとんど二階の自分の画室に籠ったきりでございますので、私と顔を合わせるのは朝食の時と、夕食の時だけ。ほとんど下へ降りてこなかったように思います。ちょっと行ってきますというのは、これは必ず博物館に違いない。で、博物館へ参りまして、夕方まで博物館で模写させていただいて、それで戻ってくる。そして夕ごはんが始まる、というようような……。画室は決してわれわれが入ってはいけない場所で、

〈花がたみ〉(上村松園、1915年、絹本著色)

母といえどもみだりに入ってはいけない。と申しますのは、非常に整然と散らかっておりますので。参考品がいっぱい、山積みになっているわけですね。ちょっと描き留めたもの、小さな紙切れをそこに置いているわけです。それが要るときに、他人が触ってしまうとどこに置いたかわからない。ですので、お掃除から全部自分でしていたようです」

芸術家としての松園。

「エラい人ですわ。ものすごい努力家です。私ら足もとにも及ばない。たとえば、模写の仕事であるとか、素描の仕事であるとか、ものすごい量です。ひたすら絵を描くことに一生を捧げたんじゃない、費やしたのではないかと思います。ですから、それなりの効果というか、結果はきちんと出している、と思います。ちょっと真似できませんね」

松園の絵の具。

「第二次大戦が始まって、中国からの絵の具の輸入がたいへん難しくなりそうだ、なる、ということで、京都の老舗の絵の具屋さんが松園のもとに、たくさんの絵の具を運んでくださった。岩絵の具というのは、絵の具を塗る前の下地の仕事によって、色はいかようにも見えます。ですから、下に墨と胡粉を混ぜてつくったグレーの、濃いのを塗る、薄いのを塗る、その上から岩絵の具をかけて結果の色を待つわけです。頭のなかに色はもうきちんとできている。それが出ないと日本画というのは塗り直しがきかないわけですから、きちんと計画し、計算を立てた上でないとできないんですね。

画家の心境によって色は生まれる。それをまたきちんと出せる技術を持ってないといけません。松園の使っている色というのは、非常にさわやかな色ばかりなんですけど、それはやはりその人の画境、心境の致すところだと私は思います」

(日曜美術館　二〇一〇年一〇月三日放送)

鳥のアトリエ

上村松篁は一九〇二年（明治三五）、上村松園の長男として京都で生まれた。本名信太郎。京都市立絵画専門学校（現・京都市立芸大）卒。西山翠嶂に師事。一九二八年（昭和三）、帝展で〈蓮池群鴦図〉が特選となる。戦後の四八年、山本丘人、吉岡堅二らと創造美術（現・創画会）を結成した。六七年、〈樹下幽禽〉で日本芸術院賞受賞。八三年、文化功労者。翌年、文化勲章を受章した。二〇〇一年（平成一三）没。

二〇〇一年放送のNHK BS美術スペシャル「花鳥諷詠　上村松篁の世界」は、上村松篁自身と長男上村淳之が出演し、奈良市郊外の松篁のアトリエ唳禽荘で花鳥画制作のために飼育する鳥類について、話がはずんだ。唳禽荘には、二八〇種、一二〇〇羽と、鳥だけでいえば東京の上野動物園をしのぐほどの鳥が飼われていた。こうなったのは、松篁の注文のためで、それを淳之はこう語っている。

「雛が生まれてくると、どんなふうに育つかわからないので、全部大きくしてくれっていうんです。数が多すぎるので、間引きをしたいんですが、父がどういう鳥がいいというかわからないので、全部大きくしないといけないという、誠に手間のかかるお方でございます。鳥だけではありません。石竹などでも、蒔きますと全部芽が出るんですが、柄が違いますから、全部大きくしてくれという。そうすると田んぼ一枚石竹ばかり植えなくてはならない。そんなふうなことも考えるお人ですから、大変でございます」

淳之の話を聞いていた松篁がいう。

「本当に、石竹なんていうのは、みな違いますね。それがどれもこれも特色があって、切ってしまうのが惜しい」

次いで話題は、松篁が当時取り組んでいたモチーフである鷹に移る。以下、鷹をめぐる松篁・淳之親子の会話。

上村松篁　顔ですなあ。この、鋭いねえ。この格調。格調を持っておるから。これねえ、自画像ですわ。つまりね、出てきて品があるかどうか。弱かった私の心が、かあっと強みがあって慈悲心があって、そういう王者の位を持っていたら、それはお前の心や、ちゅう、私がどれだけの内容を持っているかどうか、ということですわな。でき上がったところで、私がどんだけ進んだかということです。（スケッチを眺めて）ちょっと顔が違うね。前の大鷹でも。種類が違うかもしれんなあ。少し大ぶりやね。

上村淳之　今、カナダの動物園で繁殖しているのをお願いしているんです。

松篁　鷹は難しいな。声だけで下品になったら、いかんしな。

淳之　（以前のスケッチを見ながら）これは前の鷹でしょ。違いますね。若い、明らかに。あんまり人に慣れ過ぎているので、私どもが野生で見ている鷹ではない。向こうはもっと緊張感持っているからね。もっとクッと肩をいからせて構えたっていう感じがありますわね。これは、甘え顔してるな。緊張感がない。

松篁　ほんまや。緊張感ないな。それに比べて今度のはキリッとして緊張感あるで。

淳之　やっぱり多少、怖がってるか。だけどね、人の見ていない世界で鷹が一人でいる時には、ああいうふうな優しい顔ですよ。いつも威張っているわけではないから。

松篁　（スケッチをしながら）でも、だいぶ慣れてきよった。人間のモデルさんやとな、いうこと聞いてくれはるけど。しんどいことないかいなと、こっちは気ィ遣う。これは、気ィ遣わんでいい。好きなようにしたれ。

（BS美術スペシャル　二〇〇一年三月二五日放送）

美術館を旅する

古都の池のほとりに

奈良にはあちこちに溜池がある。

松伯（しょうはく）美術館も大きな池のほとりにあった。近鉄奈良線の学園前からバスに乗って、大渕池（おおぶちいけ）の前のバス亭で降りる。バス停から池の対岸に白っぽい美術館らしき建物が見えていて、池に架かった長い大渕橋を渡りきると、右側に松伯美術館の建物が建っている。外観は窓のない二階建ての箱型で、際立ったところはない。美術館の入口は建物の後ろのほうにあり、そこに至るまでの小径には、いろいろな花木が名札をつけて植えられている。トキワマンサク、リキュウバイ、シュモクレン、カリン、ヒモモ等々。

一九九四年（平成六）に開館した松伯美術館は、上村松園・松篁・淳之三代の画業を紹介する美術館である。

最初に入った展示室には、松園の下絵の数々が展示され、そこに次のような松園自身の言葉が紹介されている。

「顔の表情など、下絵の方が本画より表現したい形がはっきり現れている場合がある」

まったくそのとおりで、松園の下絵には画家の気迫と格闘がなまなましく表れており、〈遊女亀遊（ゆうじょきゆう）〉の下絵などはすさまじく、〈焔（ほのお）〉の下絵に至っては、怖ろしささえ感じた。デッサンの線に、画家がモチーフを込めようとする情念があやしく乗り移っているようである。

松園の作品は、〈十六歳の自画像〉（一八九一年）、出世作〈花ざかり〉（一九〇〇年）、大正期の名作〈花がたみ〉（一九一五年）や〈楊貴妃〉（一九二二年）なども見ることができる。

松篁の作品は、二〇代の〈金魚〉や三〇代の〈羊と遊ぶ〉など、初々しい作品から、ある種の様式化を感じさせる〈ハイビスカスとカーディナル〉（一九六四年）、〈真鶴〉（一九八〇年）など、花と鳥の世界を十分に味わうことができる。

三代目の淳之の作品では、澄明な松篁の花鳥とは違う、新しいマチエールを追求した〈梟I〉（一九五九年）、〈晨〉（二〇〇〇年）などが印象に残る。

かつて上村松篁は、「若い頃に石崎光瑤（いしざきこうよう）の南方への旅から生まれた色彩鮮やかな作品に出会い、ああいう絵を描きたいと強く思った」と語ったことがあった。日本の洋画がパリなどヨーロッパへの憧れが強いのに比べ、近代日本画の人びとはインドや南方の熱帯地方への憧憬を脈々と受け継いできた。今村紫紅（いまむらしこう）、橋本関雪（はしもとかんせつ）、堅山南風（かたやまなんぷう）など、熱帯を描いた日本画家は数多い。

【上】〈春園鳥語〉(1929年)
【下】〈ハイビスカスとカーディナル〉
(1964年)　ともに上村松篁

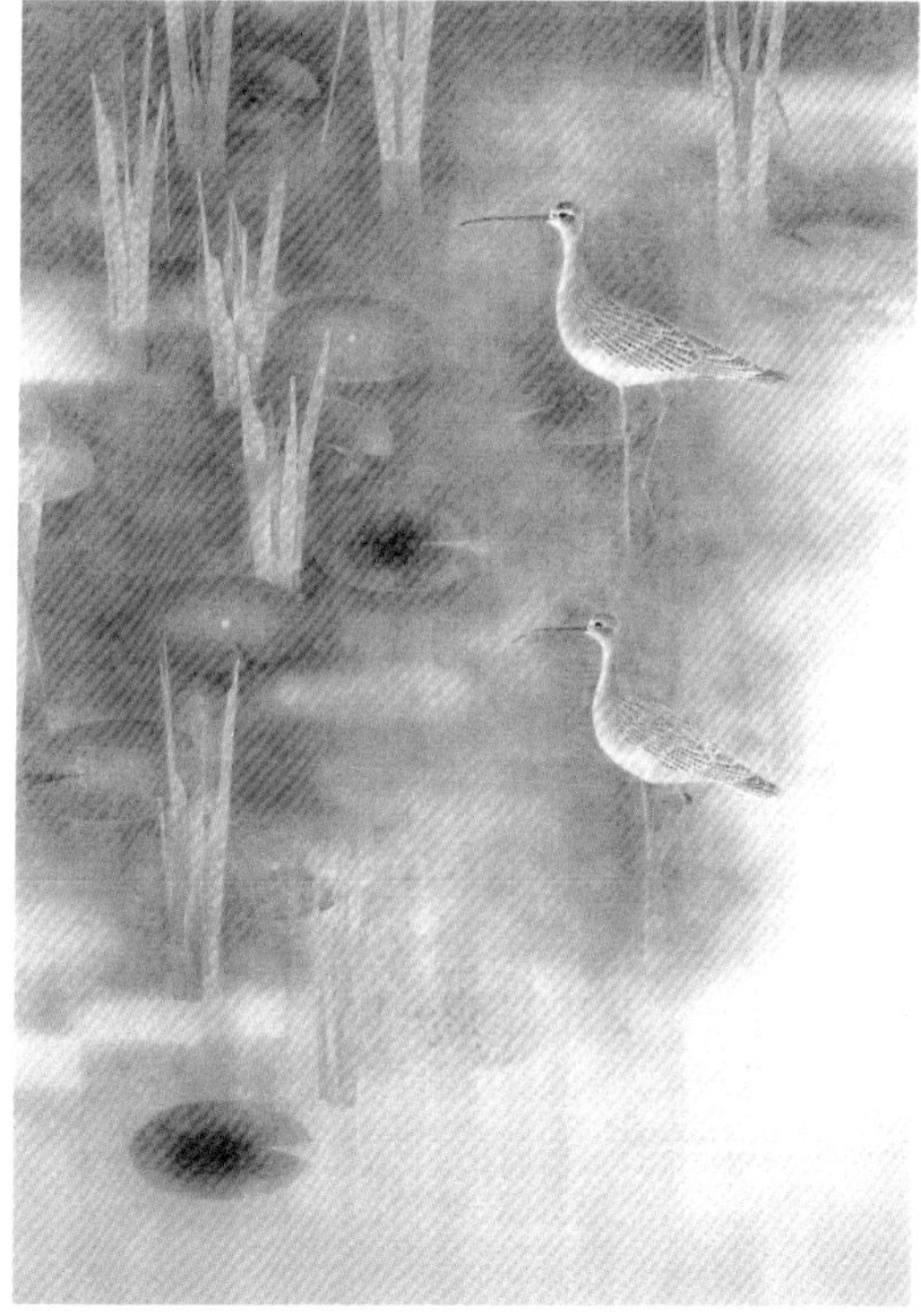

【上】〈双鶴〉(1997年)
【下】〈秋映〉(1997年)
ともに上村淳之

六甲アイランドに、洋画の典雅。

神戸市立
小磯記念美術館

兵庫県神戸市東灘区向洋町中5-7
(〒658-0032)
078-857-5880

代表的なアクセス
JR「住吉」駅あるいは阪神「魚崎」駅から
六甲ライナーに乗り換えて、
「アイランド北口駅」下車、徒歩すぐ

この美術館の
ウェブサイト
はこちらから

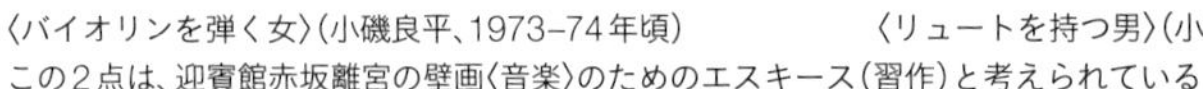

〈バイオリンを弾く女〉(小磯良平、1973–74年頃)　〈リュートを持つ男〉(小磯良平、1974年)
この2点は、迎賓館赤坂離宮の壁画〈音楽〉のためのエスキース(習作)と考えられている

よーく見てごらん

小磯良平は一九〇三年（明治三六）、神戸市に生まれた。東京美術学校（現・東京藝大）卒。一九二八年（昭和三）から足かけ三年、フランスへ留学。グラン・ショーミエールに学び、山口長男、荻須高徳らと交遊する。帰国後の三六年、猪熊弦一郎、脇田和、中西利雄らと新制作派協会を結成。三八年以降は画家として中国に従軍し、多くの戦争画を描く。戦後は東京藝大の教授などを務め、後進の指導に尽力した。七四年に迎賓館赤坂離宮に壁画〈絵画〉〈音楽〉を描いた。八三年、文化勲章受章。一九八八年（昭和六三）没。

一九七八年（昭和五三）の「スタジオ１０２」で、小磯良平が自らの制作を語った。

モデルのデッサンについて。

「いやあ、とことん睨んでいてね、見て描こうと思いますと、ちょっと動いてしまうとやっぱり苛々しますから。今モデルで来てもらっている女性は、不思議と動かない人でね。そういう人は描きやすいですね。僕は、大概、一発でデッサンしてしまうんですよ。どんなに大きくても。そして崩し崩し、探し回って形づくっていく。そういうほうが絵をつくるには良いと思うんですけど。何か探しておもしろいものが浮かぶと、がーっと描いてしまう。それはよくしましたね。今度の迎賓館の絵（〈絵画〉と〈音楽〉）、ああいう大きな絵はまとまりがつかんですからね。絶えず変えなくちゃいけないんです。つまり、途中でだれてしまうんですね。間延びしてね。だから、ぶっ壊して新しいおもしろさを加えようといろいろ探すわけですね。何遍も上に描き直した。そのほうが、かえって絵が動いてきますね……そう思うんです」

コスチュームへのこだわり。

「襞とかそういうものがある服を自分でつくりましてね。ええ。知り合いの洋服屋さんに仕立ててもらったり。そういうのはいくつかあります。（洋服の女性像〈肖像〉を指して）これもそう。本職から見ればね。アマチュアのつくったものですからね。胸のところのシワとか、おっぱいの下のシワとかね。膝頭とかね。そういうものが入った上の、それによってできるシワですね。そういうようなものに興味を持ったものですから。これは専門家にうかがったら、こういう着物の仕立て方はないわけです。滑稽なもんですけどね」

（スタジオ１０２　一九七八年五月六日放送）

一九九八年（平成一〇）の「新日曜美術館」で、舞台美術家・妹尾河童が小磯良平の思い出を語った。

「現在の県立兵庫高校は、僕が通っている頃は神戸二中と

〈斉唱〉(小磯良平、1941年、兵庫県立美術館蔵)

〈踊り子〉(小磯良平、1938年、兵庫県立兵庫高校蔵)

いったんです。小磯さんもここの卒業生で、校長室に、小磯さんがお描きになった〈踊り子〉(一九三八年)という絵がありました。校長室に訪ねて行って見せてもらったんです。当時はもう少し高いところにあって、下から見上げて凄い絵だと思いましたね。非常に小磯画伯らしいと思うのは、ブラインドのところの光の漏れ方、光が入っているところ。よく見ると一筆ですーっと描いてあるんですね。だけどあの、光の強さとかね。ほんとうに光が入っている」

妹尾は自伝的な小説『少年H』のなかで小磯に入門する話を書いている。小説中の少年Hは妹尾の分身である。Hは憧れの小磯に会い、デッサンを見てもらう。

「小磯先生は、しばらく黙ってその絵を見下ろしていたが、『ここは狭くてアトリエのような部屋がないんやけど。君さえよかったらおいで。ぼくは京都の学校へ教えに行ったり会合があったりで、留守にすることもあるけど、君は留守に来て描いてもええよ』といってもらえた。Hは夢のようだった。次に来る日を約束をして玄関の戸を閉めてから、『わーっ』と叫びながら駅までまっしぐらに走った」

(『少年H』、講談社文庫、一九九九年)

神戸市立小磯記念美術館には、小磯のアトリエが移築復元されている。そのアトリエで妹尾が語る。

「昭和二四年にこのアトリエが完成したんですよね。僕はしょっちゅうお邪魔したの。小磯先生、このイーゼルで、こ

〈兵馬〉(1939年、小磯良平)。この作品は所在不明。印刷された絵葉書しか残っていない

の椅子に座って、で、手もとにね、小磯先生がよく使う、ジョーンブリアンっていって肌色。僕はよく言われましたよ。よっく見てごらんって。絵をね。直したりなんかしないでね、そばでよーく見てごらん、よーく見てごらんだけ言われた。だから、よーく見てごらんがぼくの原点になっちゃって」

(新日曜美術館　一九九八年二月二二日放送)

二〇〇七年(平成一九)の「新日曜美術館」では、代表作の一つ〈斉唱〉(一九四一年)と、戦争画の関係が語られた。〈斉唱〉の構図について解説するナレーション。

「この構図にはじつに不自然なところがある。少女たちの足はやや上から見下ろされ、前後の奥行きを強調して描かれている。実際に〈斉唱〉の絵のように並んでもらい、足元を俯瞰してみると、顔は絵のように正面からは見えないことがわかる。絵では少女たちの顔は水平に並んでいる。少女たちの顔の高さからとらえた視点である。一方、足元は少女たちよりかなり高い位置からの視点だ。小磯は一枚の絵のなかで二つの視点を同時に描くという、特殊な構図法を用いている。

イタリア・フィレンツェ。若き日の小磯が訪れた街だ。サンタ・マリア・デル・フィオーレ大聖堂。ここに小磯が〈斉唱〉の構図のヒントとした作品がある。一五世紀イタリアの彫刻家ルカ・デッラ・ロッビアによるレリーフ〈カントーリア〉(一四三一―三八年)である。そこには楽譜を手に歌う天使

〈マヌキャン〉（小磯良平、1972年）

新聞連載小説『古都』第40回の挿絵（小磯良平、1961年）

たちの姿が浮き彫りにされている。俯瞰でとらえた天使たちの足は奥行きが強調され、顔は水平からとらえられている。小磯はイタリアルネサンスの技法に学んで〈斉唱〉を描いた。

しかし、これは初めての試みではなかった。〈斉唱〉の二年前、日中戦争の従軍をきっかけに描かれた〈兵馬〉（一九三九年）でも、兵士たちの顔は水平にとらえられているが、足は俯瞰でとらえられ、奥行きが強調されていた。小磯は〈兵馬〉の構図をもとにして、〈斉唱〉を描いたと思われる」

小磯記念美術館の学芸員・辻智美が述べる。

「戦争画の群像表現という経験がなければ、〈斉唱〉は生まれなかったかもしれません。戦争画は必然的に群像を描くことが多いわけですけれども、戦争というテーマがあるということで、そこにさまざまなポーズとか、感情を盛り込むことができまして、この戦争記録画というジャンルにおいて、内容も表現も深められたというふうに考えられると思います」

（新日曜美術館　二〇〇七年七月一五日放送）

美術館を旅する

御影の丘から海の上へ

神戸市立小磯記念美術館のある人工島・六甲アイランドは、JR住吉駅から神戸新交通六甲アイランド線（愛称は「六甲ライナー」）で真っ直ぐ南下したところにある。

六甲ライナーは運転手も車掌もいない、すべて自動の乗り物である。南魚崎（みなみうおざき）の駅を出て間もなく、島へ渡るために海上にさしかかると、ヘリコプターにでも乗っているような高さのところを走る。六甲ライナーの開業は一九九〇年（平成二）。阪神・淡路大震災（一九九五年）の大きな被害とその後の復興を経て、いまも六甲アイランドを走る。

美術館は、アイランド北口駅で降りてすぐ右手である。

正面から見ると、窓のない倉庫風の切妻屋根の建物二棟がやや離れて並び、その間に、円柱に支えられたガラス張りの円形の建物がはめ込まれているような形をしている。入館してみると、円形の建物は回廊のような役割を果たしており、中央の樹木が植えられた庭の真ん中に、小磯良平のアトリエがある。もともとの小磯の自宅アトリエは、ここから五キロほど北の御影（みかげ）にあったが、一九九二年（平成四）の美術館の開館にあわせてここに移築された。展示室はすべて倉庫風の建物の一階部分にあり、円形の回廊をぐるりと回りながら見ることができる。

この美術館では、例年、「小磯良平作品選」と題するコレクション展を二〜三か月のスパンで行っている。たとえば二〇一九年の「小磯芸術の流れ」では、初期の渡欧作〈ブルターニュ、ソーゾン港〉（一九二八年）が展示され、「座る 小磯のプライベート空間」では、弦楽器のリュートが描かれた〈マヌキャン〉（一九七二年）が出展された。リュートは小磯が好んだ楽器である。「挿絵原画『古都』」では、一九六一〜六二年に朝日新聞に連載された川端康成『古都』の挿絵原画・全一〇七回の一部が展示されていた。

全館を使った特別展も開かれる。二〇一八年秋の「西洋への憧れと挑戦」は、小磯の没後三〇年を期に、〈斉唱〉（兵庫県立美術館蔵）をはじめ、全国から小磯の名品が集められ、戦争画による大画面構図と群像表現、またその後の抽象表現をたどった。二〇一九年夏の特別展は「神戸の暮らしを〝デザイン〟する」。小磯が一九三〇年以降に手がけたグラフィックアート（たとえば一九三三年の第一回神戸みなと祭のポスターなど）を紹介しながら、神戸の文化の実像を探った。

日本の洋画が一時代、印象派の圧倒的な影響の下にあったことは事実だが、日本で案外に生まれなかった。それにしてはマネやドガの作品を思わせる絵は、日本で案外に生まれなかった。時にその格調を彷彿させる作品を描いたのは、小磯良平だけではないだろうか。小磯の作品は、マネやドガのもつ肉食的な強さはもたないが、その代わりに典雅な気品を備えている。

ようこそ、仙境の入口へ。

清荒神清澄寺
鉄斎美術館

兵庫県宝塚市米谷字清シ1番地
(〒665-0837)
0797-84-9600

代表的なアクセス
阪急電鉄宝塚線「清荒神」駅から、徒歩約15分
あるいはJR宝塚線「宝塚」駅から、タクシー約10分

この美術館の
ウェブサイト
はこちらから

＊鉄斎美術館「聖光殿」は休館中。作品は別館「史料館」で観覧できる

〈前赤壁図〉(富岡鉄斎、1922年、紙本淡彩)。左は部分図

富岡鉄斎を理解する

富岡鉄斎は一八三六年（天保七）、京都に生まれた。本名は不明。通称は猷輔。生家は法衣商であったが、学問を好む家柄で、鉄斎も早くから学者を志し、国学、漢学を学ぶ傍ら、絵の手ほどきを受けた。一九歳のとき、歌人・太田垣蓮月尼に入門し、大きな影響を受ける。幕末の動乱の時代のなかで、長崎に遊学し、国内各地を旅行した。各地の神社の宮司を務め、神道復興にも尽力している。

明治画壇では、各種展覧会などの審査員になっているが、自らの絵を出品することはなかった。自身はあくまで学者であり、絵は余技であると考えていたのである。晩年は悠々自適の生活を送った。その晩年に絵画の名作が多いといわれる。一九二四年（大正一三）八九歳で没。

一九七六年（昭和五一）の「日曜美術館」で、画家の中川一政が鉄斎を語った。

「師匠を持たないということは、師匠がどこにでもあるってことですからね。だから鉄斎さんは、自分の取りたいものがあればどこにでも行って取ってくるんですよ。鉄斎さんは盗み絵って言ってるけどね。自分が笑ってそういうことを言っているけれども、そんな生易しいものじゃなくて、奪ってきちゃうんです。何でも、どこへ行っても。それで自分の養分にしているんです。なかでも、〈前赤壁図〉の、これは蘇東坡（蘇軾）の「壬戌之秋七月既望蘇子與客泛舟」という文句。この絵が、鉄斎さんを説明するには一番いい例だと僕は思うんです。この賛（絵画のなかに書き添えられた詩句）の字を見ていると、字を書いていながら形づくっているでしょ、輪郭を。その形が美しいじゃないですか。それから山を描いているけれども、山の形というものをつくっているでしょ。そういう空間の切り方ですね。それがなかなか厳しい。今までの南画にないもの。鉄斎独特の描き方なんですね。それはどこから来ているかというと、やっぱり金石（金石学。古代の金属器や石に刻まれた銘文を研究する学問）の洗礼を受けているからだと思うんですね。金石というのは、中国の明末清初、今から四〇〇年くらい前かな、その時分の中国に、昔に還らなきゃいけないという復古運動が起こる。それで、学問するのでも、本というのは版を重ねていくでしょ。木版だから、版を重ねていくうちに文句が抜けちゃったり、字を間違えたりして意味の通らないようなものになってくる。それじゃいけないから、もっと昔のものから振り返らなきゃいけないという運動なんです。字のほうもそうで、それまで法帖っていうお手本を参考にして書いていて、虞世南とか王羲之とか。あれもやっぱり木版に写したもので、それを繰り返していくとだんだん形が崩れてきてしまって、それだと手本にならない。それで、もっと昔に還らなきゃいけないというので、昔の石碑や銅器などの文字に注目するようになる。それが金石なんです。

この字の形がかっちりしていて、きれいでしょう。それでこの山との間の空間が、とてもはっきりしていて気持ちがいいでしょ。法帖の字ってものは二次元でしょ。金石の文字は三次元になるわけ。彫るような気合いになってくる。それで、金石運動によって、中国の書体が少し変わってきた。ちょうどね、フランスの印象派みたいなものですよ。今までの文字をひっくり返しちゃったようなもの。そういう時代を、鉄斎さんは見てる。われわれがフランスへ行って印象派の洗礼を受けたようなものですね」

（日曜美術館　一九七六年八月一日放送）

一九八四年（昭和五九）の「日曜美術館」では、作家の井上靖が新聞社の美術記者だった時代の話から始める。

「有名人であろうと、有名でない人であろうと、見られる展覧会は全部見ました。やはり批評というのは、作家の作品をできるだけ見ておくことが必要なんです。その人の絵ばかりをたくさん、一週間見続けていると、その人がわかるような気がしますね。私は鉄斎の絵も初めはわかりませんでしたね。鉄斎の絵は、清荒神にみんな集まっています。鉄斎を見かけた時に、ひと月ばかり鉄斎ばかり見ました。それは、若い時じゃないんです。一〇年くらい前に、鉄斎論を書くために鉄斎ばかり見ました。そして京都の大きな表具店に集まっている鉄斎の絵まで見たんですね。朝から晩まで鉄斎の作品を次々に見ていますと、鉄斎という人の、作品に入っている心がわかってきます。これは傲慢ないい方かもわかりませんがね、わかってきますね。東山（魁夷）さんだったら東山さんだけの絵だけをかためて何日かかけて見ていますと、東山さんの絵がわかってくるかと思いますね。そういうものじゃないでしょうか」

そして井上靖は、鉄斎をテーマにした自作の詩「仙境」（詩集『遠征路』所収、集英社、一九七六年）を朗読した。

「仙境は巨大な岩のうてなの上に築かれている。滝は岩壁にかかり、流れは岩の肌の上を奔っている。楼閣も、亭も、岩の上に営まれ、数少ない樹木も岩の上から生え立っている。どこにも人の姿はなく、巨大な岩の舞台の裾を洗う潮の音が聞こえているだけだ。この孤絶した無人の理想郷に月を配してみると、おそろしいほど荒涼としている。まるで冥界だ。八十七歳の鉄斎は、自分以外の誰もが足を踏み込むことのできない仙境を描いたのだ。深夜こっそりと、月光を浴びて、彼はその中に入ってゆく」

（日曜美術館　一九八四年一月二九日放送）

晩年の富岡鉄斎

美術館を旅する

祈る人びとに囲まれて

阪急宝塚線の清荒神駅で降りてから鉄斎美術館のある清荒神清澄寺（せいちょうじ）まで歩く参道は、なんとも楽しい。その距離およそ一・二キロ。この、ゆるやかな坂がのびる長い参道の両脇には、一〇〇軒以上のさまざまな店が立ち並んでいるのだ。各種飲食店、たわしやとうがらしなどの専門店、「危険の鈴」という看板の店、南天箸だけを売る店、神具・仏具の店、高野槙（こうやまき）だけを青々と飾る店、蠟燭（ろうそく）・香の店……。社寺への参道らしい店から社寺とは何の関係もなさそうな店まで、ありとあらゆる店が揃っている。車の一切通らない道で、その道は高速道路の高架の下をくぐり、やや谷底のようになったところで、小川を渡る。橋の名は祓禊橋（みそぎばし）とあった。そこからは再びにぎやかな参道の上り坂になり、どんどん上って行くと、清荒神の山門の前に出る。

清荒神清澄寺は、威圧的な寺ではない。むしろ、ここが集めている信仰の大きさからすれば、簡素で、控え目な感じのたたずまいである。「開創千百余年真言三宝宗大本山」。真言宗のお寺で本尊は大日如来。大日如来の守護神である三宝荒神も祀られている。山門を入って間もなく、左手に鳥居があり、その先に天堂と呼ばれる大きな拝殿が見える。拝殿の背後にある本殿は、護法堂と仏教式に呼ばれている。これが荒神様なのだろう。山門から真っ直ぐ進むと、突き当たりが清澄寺の本堂、その右横を入ると鉄斎美術館「聖光殿」がある。

鉄斎とこの寺との関係は、第三七世法主であった光浄和上(一八三六―一九二四)が、鉄斎の研究と収集に打ち込んだことに拠っている。二〇一八年一一月から聖光殿は資料整理のため休館しているが、休館中は、境内の別館「史料館」で展覧会が行われている。

富岡鉄斎は、自己流の技法だけで、ただ気ままに描いていたようにも思われているが、そうではない。この美術館が所蔵する鉄斎が手がけた多くの「粉本」(研究や制作の参考にするために模写した絵画)がそのことを物語っている。池大雅、長谷川等伯、伊藤若冲、渡辺崋山など優れた画家の作品を模写しながら、鉄斎はそれらの作品の魅力を自家薬籠中のものとしていたといえる。

鉄斎美術館では、鉄斎の描いた人物画の範囲の広さに驚かされる。〈神武天皇像〉〈紫式部図〉〈楠公像〉〈芭蕉乗馬図〉〈赤穂義士像〉〈蒲生君平図〉〈英一蝶幽居図〉〈西洋医祖秘父像〉〈蝦夷人熊祭図〉と、歴史上の人物から、猫が三味線を弾いている「おどけ画」と称するものまで、じつに多彩だ。しかもそれらの人物画は、型にはまらない自由な筆致で、それぞれにおもしろみがある。

鉄斎の絵には、必ずといっていいほど、漢詩か漢文の文章による「賛」が入っている。残念ながらこれをすらすらと読み下すことはできないが、いずれの作品においても、文字が絵の一部として見事に溶け合っている。鉄斎の絵に親しむと、絵に文字を入れる賛が決して余計なものではないと得心できる。鉄斎の絵から賛を消してしまうと、大きな欠落感が生まれてしまう。

鉄斎を堪能して、豊かな気持ちになり、寺の境内に戻って、気がついたことがあった。清荒神清澄寺に参拝に来た人は、至るところで手を合わせている。社寺に詣でて祈るのに何の不思議もないが、ある年配の女性は池の水に向かって一心に祈り、小声で経を唱えている。池の対岸に向かって祈っているのかと思ったが、対岸には何もなく、明らかに水に祈っているのだ。別の男性は、遠くから天堂を拝んでいる。ほとんどの人が、境内の屋外に建つ仏像はもちろん、あらゆるお堂、門や鳥居に祈りを捧げている。

山門の内側に掲げられた扁額には、「薝蔔林中不嗅餘香」と記されている。維摩経から採られたこの文言の意味するところは、薝蔔(くちなし)の花の強い香りが他の香りを打ち消すように、一旦山門をくぐれば俗界の煩悩は打ち消されて清浄な気持ちになり、身も心も洗われる思いとなる、である。

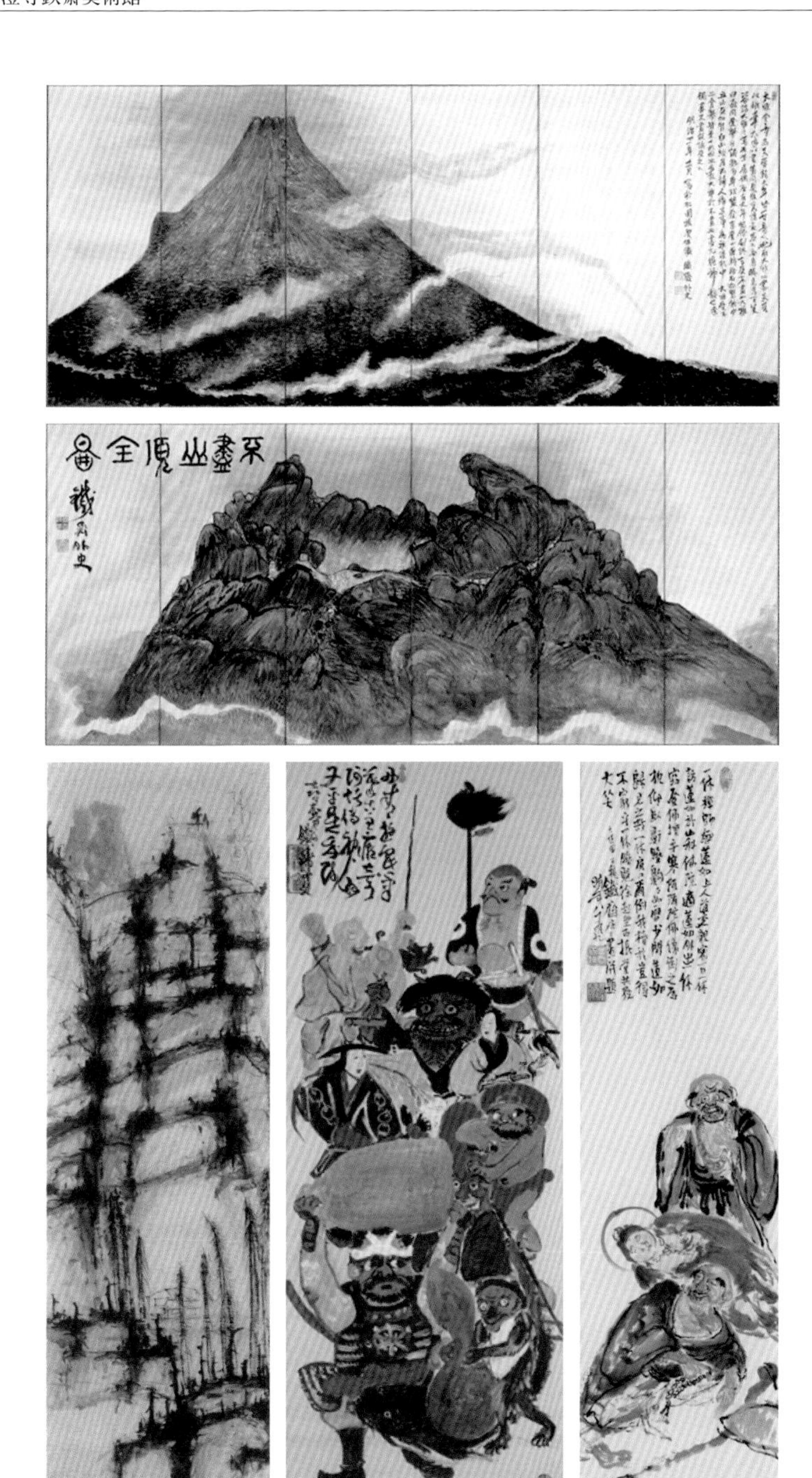

【上】【中】〈富士山図〉(1898年、紙本著色、六曲一双)。【下右】〈聖者問答図〉(1924年、紙本淡彩)
【下左】〈層巒雨霽図〉(1867年)。【下中】〈擬土佐又平筆法遊戯人物図〉(1912年、絹本著色)

「やっと描けたよ」の喜び。

安井曾太郎と
大原美術館

岡山県倉敷市中央1-1-15
(〒710-8575)
086-422-0005

代表的なアクセス
JR山陽本線「倉敷」駅から、
徒歩約15分

この美術館の
ウェブサイト
はこちらから

安井曾太郎と美乃。〈孫〉の制作風景

NHK日曜美術館から

写実の格闘と自由

安井曾太郎は一八八八年（明治二一）、京都市に生まれた。生家は木綿問屋。聖護院洋画研究所で浅井忠、鹿子木孟郎の指導を受ける。同研究所が関西美術院へと発展するのに伴い、そこに移る。一九〇七年にフランスに渡り、アカデミー・ジュリアンでジャン・ポール・ローランスに学んだ。当時のフランス画壇の、ピサロやミレー、セザンヌの影響を受ける。ヨーロッパ各地を巡遊した後、一四年（大正三）帰国。翌年の二科展に滞欧作品四四点を特別展示して大きな話題となり、二科会会員に推挙される。三五年（昭和一〇）帝国美術院会員となり、二科会を退会して、翌年一水会を設立した。戦中から戦後にかけて東京美術学校（現・東京藝大）の教授を務め、五二年、文化勲章受章。一九五五年（昭和三〇）没。

二〇〇五年（平成一七）放送の「新日曜美術館」で、安井曾太郎の長男の夫人である安井良子と、その娘の秋田美乃が、安井が自宅兼アトリエとして用いていた神奈川県湯河原の旅館の離れを訪ねた。

ここで安井は、孫娘にあたる美乃をモデルに絵を描いた。その制作風景を伝える写真資料も残っている。大原美術館所蔵の〈孫〉（一九五〇年）は、当時三歳の美乃を描いた作品だ。

秋田美乃　とにかく画材がいっぱい置いてありましてね。何かもう懐かしいなあ。

安井良子　やっと、絵が描けたよと言っていましたね。自分が今までにない、その、何て言うんでしょう、若さ。今まではどちらかといえば、でき上がった絵ですよね。それが、何かこう、若い学生さんが描いたような、そういう絵のように思ったんですって。そういうのが取り戻せたと言って、とても喜んでいましたね。

安井良子が語ったのは、〈孫〉を描き上げた時の安井曾太郎の気持ちである。

画家の野見山暁治が、この〈孫〉についてコメントした。

「僕はね、うーん、安井さんは僕の親父くらいの年代で、そうするとね、僕らがヨーロッパから帰ってきた時の日本と、かなり違っていた。安井さんの時代は、西洋画というものの見方について、非常に斬新に受け止めて、そして日本に帰ってきたら、いわゆる日本画の世界があるわけです。平板ななかで、光じゃないなかでモノをつかまなくてはならない。それとの間にずっと闘いがあった。僕らの世代からは想像もできないような闘い方があっただろうと思う。たいていの人は、ヨーロッパにそのまま懐くようにフワ～となって終わりにな

〈外房風景〉(安井曾太郎、1931年、油彩・キャンバス)

るんだけれども、安井さんは、そこを何としても結び付けなければならないという格闘をしていて、だから人物像などには、その格闘の跡がずぅーっと見えている。ところが〈孫〉のような作品になるとね、どう描いても良いのだというような、安井さんにしては、珍しく気楽さがあったんだろうと思います」

(新日曜美術館 二〇〇五年六月一二日放送)

美術館を旅する

西洋絵画へのあこがれ

戦後しばらくの間、日本国内で西洋絵画の見られるところといえば、国立西洋美術館、ブリヂストン美術館(現・アーティゾン美術館)、大原美術館の三館だった。海外から借りてきた名画をデパートや美術館で展示する催しは行われていたが、若者たちには、それらを追いかける余裕はなかった。何よりもありがたかったのは、これらの三つの美術館が、いつでも同じ絵を同じ場所に掛けていてくれたことである。上野の西洋美術館ではルーベンスの輝くような子供の絵を眺めて幸せな気分になり、ブリヂストン美術館では行くたびに立姿のマネの自画像を見て、何やら画家の人となりがわかったような気になったのだ。

美術館のために遠方まで旅をする。大原美術館を見るため

〈孫〉（安井曾太郎、1950年、油彩・キャンバス）

〈陽の死んだ日〉（熊谷守一、1928年、油彩・キャンバス）
陽は次男の名。画面右下に「昭和三年二月二十八日朝　陽ノ死ンダ日　熊谷守一」とある

に倉敷へ。柳並木を歩いて、円柱のあるギリシャ神殿のようなファサードを見る。何度訪れてもほっとする。

女性が牧場の柵に寄りかかる、カッと明るいセガンティーニの〈アルプスの真昼〉（一八九二年）、タヒチの女性が画面に大きく描かれたゴーギャンの〈かぐわしき大地〉（一八九二年）、斧で木を伐るならこの姿しかないというホドラーの〈木を伐る人〉（一九一〇年）、ロートレックのゆったりとした女の横顔が魅力的な〈マルトX夫人―ボルドー〉（一九〇〇年）、奇跡的に日本に渡ってきたとしか思えないエル・グレコの〈受胎告知〉（一五九〇年頃―一六〇三年）などは、西洋美術の教科書のような名画が並ぶ。ジャクソン・ポロックの実物をここで初めて見た人も、少なくないはずだ。

大原美術館には、日本の洋画の名作も揃っている。熊谷守一の〈陽の死んだ日〉（一九二八年）、岸田劉生の〈童女舞姿〉（一九二四年）、小出楢重の〈Nの家族〉（一九一九年）など、画家が自分の家族を描いた作品が多いのは、偶然であろうか。その一つに、安井曾太郎の〈孫〉がある。

「まだモデルには無理で、ほとんどポーズしなかった。立ったり、椅子にねころんだりして、全くモデルにならなかったが、そういうモデル振りが、余りモデルにとらわれないことの一つのよき勉強を、僕にさせてくれたようでもあった」

安井は〈孫〉についてこう記している。

〈Nの家族〉（小出楢重、1919年、油彩・キャンバス、重要文化財）
有望な新人に与えられる二科展の樗牛賞受賞作。小出は日本独自の油絵を確立しようとした画家

また、夫人をモデルに描いた〈画室にて〉（一九五一年）については、背景にかなり苦労したことにふれた後、「それから顔には随分苦労したが、全体として割合よく家内が現わされたと思っている」と満足な出来栄えだったことを語っている。
（『講談社版 日本近代絵画全集 第六巻』安井曾太郎・嘉門安雄、一九六二年）

大原美術館にもう一点ある安井曾太郎の作品〈外房風景〉（一九三一年）は、安井の画境が非常に充実し始めたころの作で、彼の風景画の代表作の一つとされる。描かれているのは南房総・鴨川の波太海岸。ここは多くの画家が訪れた写生地で、彼らが絵を描く時に拠点とした宿が江澤館である。安井は一九三一年（昭和六）の夏、この江澤館に滞在して〈外房風景〉を描いた。

倉敷は、幕府の直轄領である天領であった。河港としての倉敷は、米なども積み出したが、江戸時代から綿や綿布の生産と積み出しで知られた。それを基礎に明治の初期、地元資本の大原氏が倉敷紡績を経営して成功し、私財を投じて大原美術館を建てたのである。開館は一九三〇年。

倉敷の美観地区を歩くと、どの家にも人が住み、今も生活の場として生きていることを感じる。畳店の前を通ると、せっせと仕事をしている職人の姿が見えた。これだけ和風建築が集合しているのだから、注文が絶えることはない。生活に結びついた職業もまた町のなかで生きている。

山頭火の自由を、旅する。

池田遙邨と
倉敷市立美術館

岡山県倉敷市中央2-6-1
(〒710-0046)
086-425-6034

代表的なアクセス
JR山陽本線「倉敷」駅から
徒歩10分

この美術館の
ウェブサイト
はこちらから

〈山頭火行く〉(池田遙邨、1984年、紙本著色、個人蔵)

NHK日曜美術館から

俳句の姿

池田遙邨は一八九五年（明治二八）、岡山県に生まれた。はじめ大阪で洋画を志すが、一九一九年（大正八）に京都に移り、竹内栖鳳の画塾で日本画を学び、第一回帝展で〈南郷の八月〉入選。二六年、京都市立絵画専門学校（現・京都市立芸大）修了。五三年（昭和二八）、画塾・青塔社を結成、主宰。六〇年、日展出品作〈波〉で日本芸術院章受賞。八七年、文化勲章受章。歌川広重に傾倒して、東海道五十三次の徒歩写生旅行をするなど、行動的な画家で、晩年には種田山頭火の句をテーマにした連作を描いた。一九八八年（昭和六三）没。

二〇〇三年（平成一五）の「新日曜美術館」で、池田遙邨の描く山頭火の世界を、遙邨の長男・池田道夫（日本画家）と、俳人の金子兜太が語った。

山頭火シリーズの第一作〈山頭火行く〉（一九八四年）を描いた時、遙邨が次のような言葉を残している。

「黄昏近い風が吹く一本の堤。流浪の旅人の心に映った情景を描いていた時、これは山頭火が歩いていそうなところや、と思ったら、彼の旅姿を描き入れていた」

遙邨は三〇代から山頭火の俳句を知っていたが、山頭火シリーズを描き始めたのは八九歳になってからだった。

池田道夫がふりかえる。

「いろいろな引き出しを持っていまして、温めていました。それでアトリエに好きな句、絵になる句でしょうね、それを貼っていまして、これを全部描き終わるんは、一二五歳までかかる、と」

遙邨の作品〈雪へ雪ふるしづけさにをる　山頭火〉（一九八六年）を見ながら話す金子兜太。

「遙邨と山頭火の歩く姿はあまり重ならないんですね。ただ、何だか遙邨が山頭火を好きでね、自分の体のなかに取り込んじゃっているような感じ。この絵のなかに狐がいますけれども、この狐が山頭火と変わらないんじゃないかと遙邨が考えている、そう私は思いますね。遙邨が山頭火の何に惹かれていたかといえば、山頭火は内心のモヤモヤを、どうにも処理できない。山頭火は『空』という言葉を使っていますが、そのモヤモヤを『空』にしたい、澄んだものにしたいと山頭火は思っているけれども、できないんですね。その足掻きですね。それを歩くことによって何とかしたいと思っている、その生の姿。遙邨はそれに惹かれたんじゃないかな」

「父は九二歳で亡くなるまで毎日絵を描いていましたが、晩年、父の絵はだんだん明るくなって、冴えてきました。本当に自由人でしたね。自由な心を大切にしていました」

〈雪へ雪ふるしづけさにをる 山頭火〉（池田遙邨、1986年、紙本著色、岡山県立美術館蔵）

池田道夫はそう語った。

（新日曜美術館 二〇〇三年九月二一日放送）

美術館を旅する

市庁舎、美術館になる

倉敷市立美術館は、大原美術館から歩いて五分、倉敷中央通りを渡った西側にある。いかにも官公庁らしいがっしりした建物で、それもそのはず丹下健三の設計によって倉敷市庁舎として一九六〇年（昭和三五）に建設された建物だ。やがて新庁舎が移転新築されると、この庁舎は一九八三年（昭和五八）に市立美術館として生まれ変わった。改築を担当した倉敷出身の建築家・浦辺鎮太郎（うらべしずたろう）は、丹下建築の魅力を生かすことに努めたという。

入館するとすぐに天井まで吹き抜けのエントランス・ホールがある。地上三階地下一階の建物で、一階と二階に広い展示室がある。建物内部がどこかごつい感じがするのは、残された丹下の作風だろうか。

この倉敷市立美術館の設立のきっかけとなったのは、郷土出身の日本画家・池田遙邨から、五〇〇点近い作品が寄贈されたことであった。美術館では、折々に池田遙邨の特集展示が行われる。

池田遙邨の世界は物語があって、楽しい。思い描いたことをどんどん実行していった人らしく、三〇代の終わり頃から、歌川広重に触発されて自ら東海道を踏破し、自分の東海道五十三次を描いている。たとえば「昭和東海道五十三次」の一枚として描かれた〈新井 浜名湖〉は、古めかしいような、新しいような不思議な絵になっている。一方、ふくろうが描かれている〈森の唄〉は、五〇代の最後の作品で、一見童画風だが、やはり花鳥画の伝統を踏まえながら、花鳥画の類型を超えようとしているところがあり、どこか抽象画に向かうような味わいがある。

晩年の山頭火シリーズになると、画面はダイナミックで、一層鮮烈である。

〈あたらしい法衣いっぱいの陽があたたかい 山頭火〉
〈行きくれてなんとここらの水のうまさは 山頭火〉

遙邨にとって山頭火の世界は、寂しいだけでなく、野の風景や小動物が語りかけるやさしいものでもあったようだ。

倉敷市立美術館には、遙邨の作品のほかに、満谷国四郎(みつたにくにしろう)、児島虎次郎(こじまとらじろう)、河原修平(かわはらしゅうへい)などの岡山県出身の画家のコレクションがある。さらに猪熊弦一郎(いのくまげんいちろう)、難波田龍起(なんばたたつおき)の絵画や、草間彌生(くさまやよい)の立体など、現代美術も収集している。

倉敷市立美術館から倉敷駅までの帰路は、倉敷中央通りを歩いてみる。倉敷へ来ると、東側の商店街の細い道を通って美観地区に行きがちなので、時には市のメイン・ストリートである中央通りを通ってみる。中央通りには立派なビルが建ち並び、倉敷という町の現在の力を再認識させられる。

JR山陽本線の倉敷駅の西隣・西阿知(にしあち)駅付近からは、海側におびただしい工場や煙突の風景がひろがる。倉敷は重工業地帯でもあるのだ。

倉敷市立美術館からもしも足を延ばすのなら、山陽本線で六つ目の笠岡まで。笠岡駅からバスで東南に二キロメートルほど行ったところに、笠岡市立竹喬(ちっきょう)美術館がある。笠岡出身の日本画家・小野竹喬(一八八九―一九七九)の作品を収集し公開する、竹喬芸術の殿堂である。遙邨が山頭火なら、竹喬は芭蕉の『奥の細道』をテーマに連作を描いた画家である。遙邨が山頭火シリーズを描いたのは、この竹喬の『奥の細道』シリーズに触発されたからだといわれている。

【上】〈昭和東海道五十三次 土山 催雨〉(池田遙邨、1931年、絹本著色)
【下】〈森の唄〉(池田遙邨、1954年、絹本著色)

〈行きくれてなんとここらの水のうまさは 山頭火〉(池田遙邨、1988年、紙本著色)

「いまやらねば」

「わしがやらねば」の決意。

井原市立田中美術館

岡山県井原市井原町315
(〒715-0019)
0866-62-8787

代表的なアクセス
井原鉄道井原線「井原」駅から徒歩15分
あるいは、JR山陽本線「笠岡」駅前より
「井原」行バスで30分、「駅前通り」下車、徒歩５分

この美術館の
ウェブサイト
はこちらから

〈尋牛〉(平櫛田中、1978年の再制作、木彫)。1913年に発表された〈尋牛〉は岡倉天心に高く評価された

人間像を求めた生涯

平櫛田中は一八七二年（明治五）、岡山県井原市で生まれた。本名田中倬太郎。一〇歳で平櫛家の養子となり、大阪に奉公に出る。奉公先で人形師・彫刻家の中谷省古に弟子入りし、木彫を学ぶ。一八九七年に上京し、翌年、高村光雲に師事した。日本美術協会展や文展で受賞し、一九〇八年に日本彫工会の出品作〈活人箭〉で岡倉天心に認められる。一九一四年（大正三）、院展に西山禾山をモデルにした〈禾山笑〉などを出品し、日本美術院同人となった。以後は院展を舞台に活躍。戦後は東京藝大の教授などを務め、代表作となった〈鏡獅子〉（一九五八年）などを制作した。一九六二年（昭和三七）、文化勲章受章。一九七九年（昭和五四）没。

一九六六年（昭和四一）放送の「この人 この道」で、作家の平岩弓枝が平櫛田中にインタビューした。

平岩弓枝　お若い頃もよく、奈良などの仏像を見てお歩きになったそうですが、先生が一番ご記憶に残っていらっしゃる奈良の仏像ってどんなものでございますか。

平櫛田中　奈良はね、二年くらいおって……その頃はね、今、秘仏になっていて年に一度しか見られない三月堂（東大寺法華堂）の執金剛神なんかもね、いつでも行けば自由に見せてくれました。開けてくれました。用が済んだらそうおっしゃってくださいって、戸を開けっ放しでね。仏像はやっぱり好きですね。私の制作で〈鏡獅子〉と〈転生〉（一九二〇年）っちゅうのがありますが、あれなんかはやっぱり仏像から出てますな。あれはやっぱり仏像ですね。

平岩　〈尋牛〉という作品ですが、牛を尋ねるという題でございますか。あれはモデルがあるんでございますか。

平櫛　あれはね、西山禾山先生（臨済宗の師家）から始終聞いとった話です。〈尋牛〉という題でね、人間の本心を失って、それをほっつき回って探し歩くという意味があるんですね。仏心を失って探し歩くのを牛探しに喩えたんでしょう。そんな意味からね、一所懸命ほっつき歩いて牛を探してなかなか見つからない、というのをやってみたんです。これは岡倉先生に最後に見ていただいたものですが、先生が一番好きでした。石膏の原型ではもちませんから、木彫に完成させて差し上げようとした。それで先生に、この作品をどうなさるんですか、とうかがったら、フランスへ持って行って、フランスの若い作家たちに見せてやるんだ、アメリカではわからないけれども、フランス

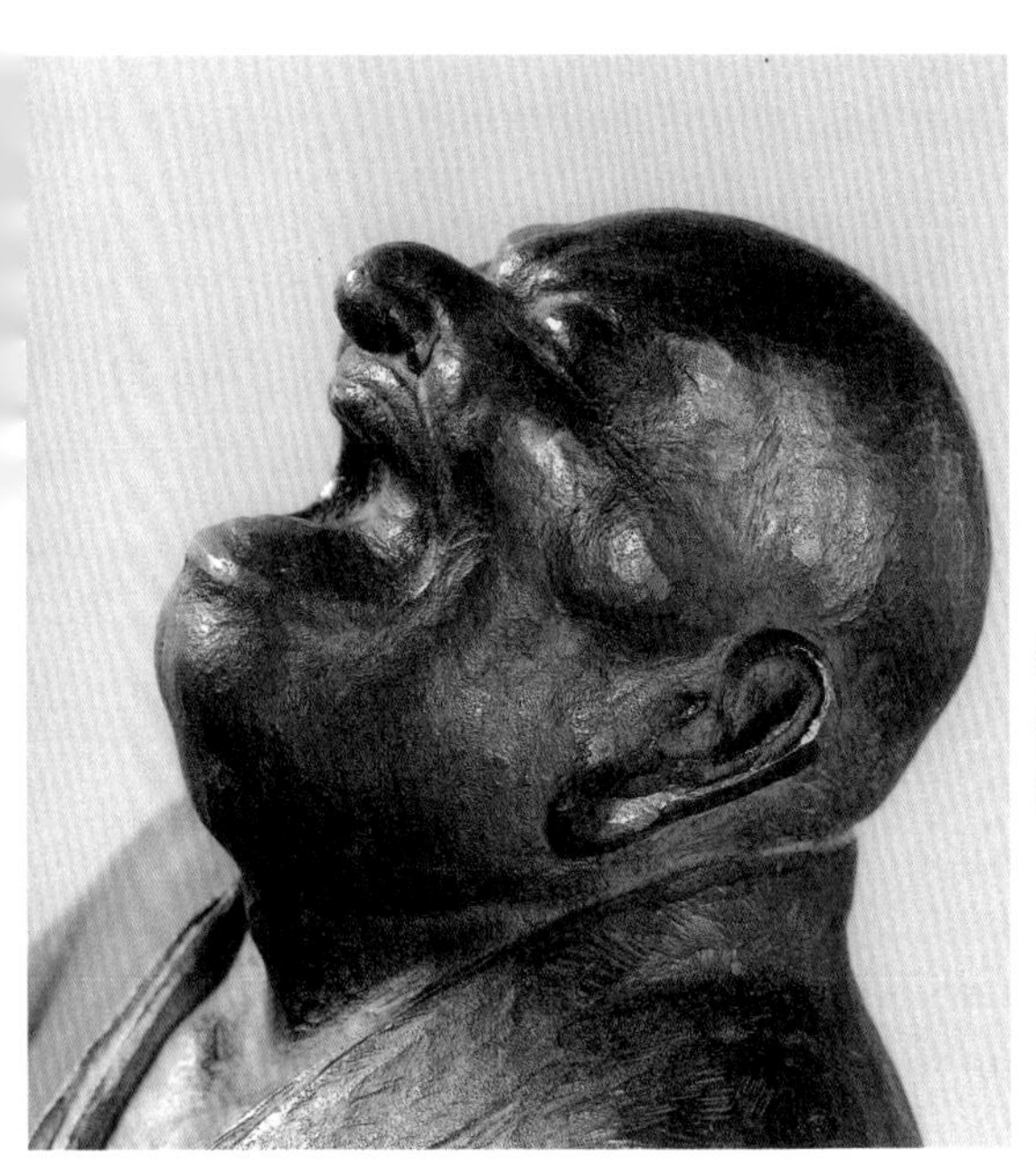

〈禾山笑〉(平櫛田中、1914年、ブロンズ)

ならわかると思う、とおっしゃった。でも、木彫にするには二か月くらいかかるんです。原型をお見せしたのが七月、しかし仕上がる寸前の九月初めに、先生が亡くなられ、間に合いませんでした。

(この人 この道 一九六六年一月一〇日放送)

一九七五年(昭和五〇)放送の「スタジオ102」で、平櫛田中自身が禅の師匠西山禾山をモデルに制作した作品〈禾山笑〉について語った。時に田中一〇二歳。

「禾山はね、わっはっはっはって底抜けの大笑いをするんです。(大口を開けて)わっはっはと笑って顔をべろりと撫でて、ここから入ってこいって……それが禾山和尚です。

やっぱり禾山和尚はおもしろいですね。それで私はその弟子。私の半分は禾山だと思っている。半分は(岡倉)天心で、二つですな。禾山と天心に会わなかったら、どんな人間になっていたでしょうかね。やんちゃでしたし、本当のやんちゃ坊主でね、どうにもしょうがない」

これからモデルにして作品をつくりたい人物として、田中は舞踊家の武原はんの名前をあげる。

「今度は女をつくる。やはり『はん』ですよね。小町の最初の出ですね。なんともいえないんです。まだやるっていう相談はしないんです。なんともいえません。左の手ぇね。杖を持ちましてね。(右手を差し出して)こうやっておりますが。

〈試作鏡獅子〉（平櫛田中、1939年、木彫彩色）

〈鏡獅子試作裸形〉（平櫛田中、制作年不詳、木彫彩色）

それがなんにも所作がないんですけれども、いいんですね。今度はその女をやってみたいと思う」

（スタジオ102　一九七五年一二月六日放送）

田中没後、一九八〇年（昭和五五）の「日曜美術館」で、田中門下の彫刻家・浜田泰三が、田中の代表作〈鏡獅子〉の制作をめぐる思い出を語った。

「最初の試作を始めたのは、昭和一〇年頃だったと思います。六代目尾上菊五郎といえば、歌舞伎の大変な役者さんでしたが、上野のアトリエに一週間ほど来られたでしょうか。そして、最初は粘土の裸の像をつくる。先生の仕事は、全部モデルの裸からつくるんです。この六代目の裸はたまたまおもしろいというので残しましたが、ふつうはこの裸像の上に粘土で着物を着せたりした原型をつくり、それから木彫にする。ですから、ふつうは裸像は消えてしまって、残らないんです。六代目の裸像をつくる際に、ウチの先生が六代目に褌も取ってくれ、と申しまして、六代目がそれだけは勘弁してくれ、といったという話が残っています。六代目も意地っ張りなら、ウチの先生も意地っ張りでした。〈鏡獅子〉は一番小さいのが一尺五寸、次が三尺、一番大きいのが六尺と、三段階にわたってつくっています。完成まで三〇年以上かかっていますが、これは先生だけでなしに、六代目と二人の力でこれだけのものが生まれたんだと思います」

晩年の田中は浜田の家族と一緒に暮らした。だから浜田は田中の生活ぶりをよく知っている。

「先生は、怒ると頭から湯気が立ちます。新聞の切り抜きをするのですが、おもしろいと思ったところは、全部切り抜くんです。食べ物はおそばが好きでしたね。書を書くのは早いのに、そこにハンコを押すのに三時間も五時間も待たされることがありました」（日曜美術館　一九八〇年四月二七日放送）

〈鏡獅子〉は、平櫛田中自身によって東京国立近代美術館に寄贈され、現在は、国立劇場のロビーに展示されている。

美術館を旅する

表現者の気迫がみなぎる

井原市田中美術館へのアクセスは、一つは、広島県福山市の神辺駅と岡山県総社市の総社駅を結ぶ井原鉄道に乗って井原駅で降りる方法。もう一つはJR山陽本線の笠岡駅からバスで北上して井原駅に至るルートである。

晴天の笠岡駅前でバスを待っていると、井原方面を目指す乗客が、ちらりほらりと集まってくる。

バスは笠岡駅を出ると、ゆるやかな坂を上り続け、峠を越えて井原市街を俯瞰する道を走る。高いところから見る井原は、町の中心部がビル街になっていて、大きな都市に見えた。井原駅に着いてみると、駅前にまっすぐ伸びる広い通りは、ひっそりとしていた。

市街はほぼ碁盤目状に整理されていて、井原市立田中美術館は、駅を背に、駅前通りを真っ直ぐ歩いて二つ目の信号を左に曲がったところにある。市役所と背中合わせに建っていて、入口に大きな金色の田中作品〈五浦釣人〉（岡倉天心の立像）があるから、すぐにわかる。

美術館の前面は田中苑という公園になっている。全体に松の目立つ日本庭園風のつくりで、あちこちに田中のブロンズ作品が展示されていた。円形の広場中央には〈鏡獅子〉、四阿には〈岡倉天心先生像〉（半身像）といった具合である。苑内の茶室「不老庵」の名は、一〇七歳の天寿を全うした田中にちなんでいる。

井原市立田中美術館の創始は、一九六九年（昭和四四）に開館した田中館である。一九七三年に田中美術館に改称され、一九八三年には井原市の市制三〇周年を記念して新館（現・本館）が開館した。三階建てで各階に展示室があり、さまざまな企画展も催されるが、ここでは田中の作品にいつでも会うことができる。

たとえば、〈試作鏡獅子〉〈鏡獅子試作裸形〉〈鏡獅子試作顔〉、あるいは途中で放棄した鏡獅子の木彫など、六代目尾上菊五郎をモデルにした鏡獅子の制作過程をうかがわせる諸作がある。そして〈尋牛〉〈活人箭〉〈禾山笑〉〈ウォーナー先生像〉〈島守〉〈赤福おばあさん〉などの名作の数々が、凛と立ち、泰然と座っている。

とくに印象に残るのは、不動明王に似た鬼の像で長い舌を出している恐ろしい風貌のブロンズ〈転生(てんしょう)〉と、船の上に光背を持つ観音が立つ木彫作品〈舟観音〉の二作である。どちらも、伝統的な仏師の手からは生まれない作品で、平櫛田中の、「独自の表現のない彫刻はつくらない」という決意を目の当たりにするような仏像である。

三階の展示室の奥の一角に、東京・上野桜木町のアトリエが復元されている。田中一〇〇歳当時のもので、ぐるりも床も板のみの、武道の道場のような工房だ。遊びなど微塵もない、厳しい空間である。ひたすら作品とだけ向き合う作家の気迫が、みなぎっているようだ。

井原駅に戻って、駅舎のなかを見ると、ほとんど全部が井原デニムのパイロット・ショップのようになっていた。

世界から注目を集める岡山デニムには二大産地があって、一つは「児島地区」（倉敷市）、もう一つがここ「井原地区」である。さかのぼれば、井原は、江戸時代から綿花の栽培が盛んで綿織物が発展し、藍が伝わってからは藍染織物で栄えた町だった。

いま
やらねば
いつ
できる
わしが
やらねば
たれが
やる

平櫛田中のこの書が、田中美術館の展示室にも、外の田中苑にも掲げられていた。備中路を走る帰りのバスのなかで、田中の気迫を思い返した。

その赤は、永遠に燃え続ける。

奥田元宋・小由女美術館

広島県三次市東酒屋町10453-6
(〒728-0023)
0824-65-0010

代表的なアクセス
JR芸備線「三次」駅から各種バスで約15分
「奥田元宋・小由女美術館前」下車、徒歩すぐ

この美術館のウェブサイトはこちらから

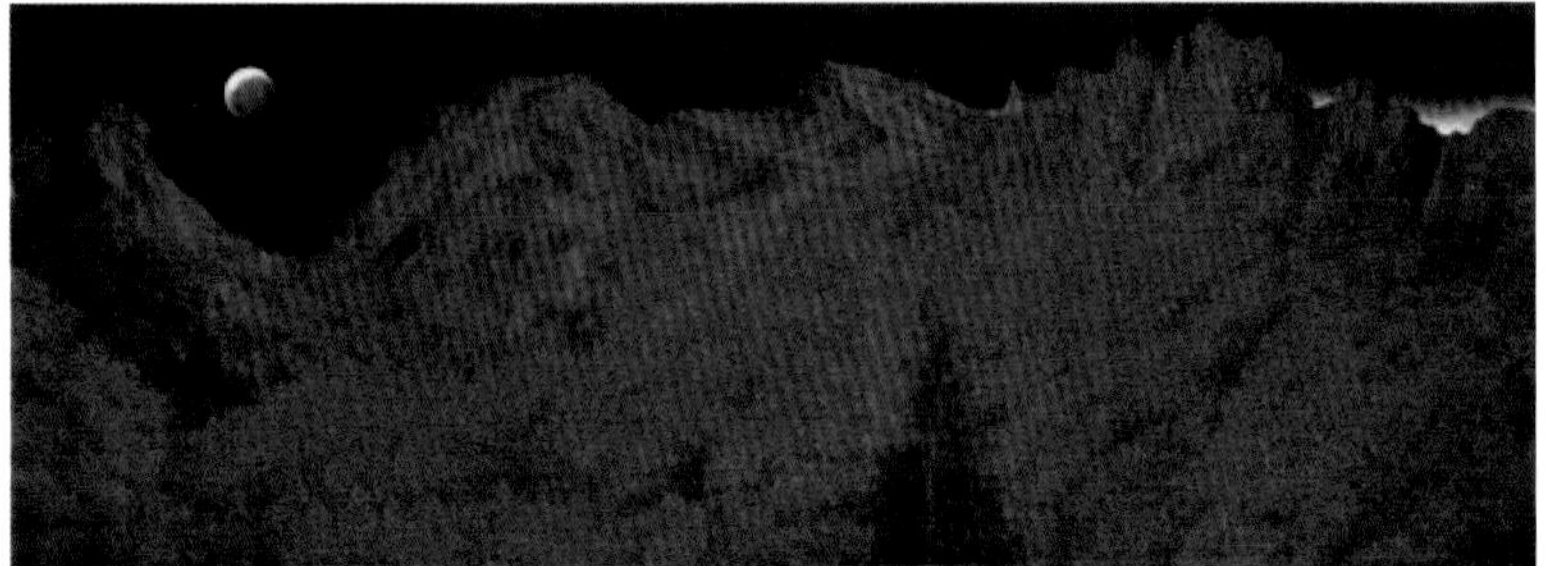

【上】〈白嶂〉(奥田元宋、1987年、紙本著色)
【下】〈紅嶺〉(奥田元宋、1987年、紙本著色)

NHK日曜美術館から

自分の色の発見

奥田元宋は一九一二年（明治四五）、広島県双三郡八幡村（現・三次市吉舎町）に生まれた。本名・巖三。一九三〇年（昭和五）、一八歳の時、画家を目指して上京、同郷の日本画家・児玉希望に師事する。一時、シナリオ・ライターを志したこともある。三六年、文展監査展に初入選。三八年、新文展で〈盲女と花〉特選。戦後、四九年の日展で〈待月〉特選。六二年には〈磐梯〉で文部大臣賞、翌年には日本芸術院賞を受けた。歌人としてもよく知られ、八一年には宮中歌会召人となる。一九八四年、文化勲章受章。二〇〇三年（平成一五）年没。

二〇一三年（平成二五）の「日曜美術館」が、奥田元宋自身の言葉を交えながら、日本画家・千住博、元宋夫人・奥田小由女などのコメントで、元宋の絵画世界を読み解いた。小由女は人形作家で、芸術院会員である。

元宋は現在の三次市郊外の村の自然豊かな環境で育ち、一九四四年（昭和一九）、空襲を避けて東京から郷里に疎開した。三次に帰ろうと、東京から広島へ向かう汽車のなかでの感想を、元宋はこう書いている。

「広島に向かう汽車の中は人々であふれ、爆撃機が飛んでくるたびに止まった。空爆の無残な跡があちこちに残り、生きた心地がしなかった。福山から福塩線に乗り換え、田舎に向かう途中のことだった。窓の向こうに広がる自然がとても美しく見えた。何度か帰省していたが、郷里の自然に目を奪われたのは、子供のころ以来だった」

（『山燃ゆる　奥田元宋自伝』日本経済新聞社、二〇〇一年）

地元に戻った元宋はひたすら自然を描き続けた。

「人生はいくばくもなく、だからこそ懸命に生きなければならない」（前同）。そういう元宋の思いが、自分だけの色の発見につながる。山梨県の昇仙峡で、紅葉が強風に吹き飛ばされ、舞い上がった一瞬に、元宋はその色を見た。それを元宋は、絵の具をぶちまけ、なすりつけたような荒々しいタッチで表現した。〈秋獄紅樹〉（一九七五年、練馬区立美術館蔵）である。「画家は生まれながらにして身に付いた色がある。日本画家の東山魁夷さんは、目に爽やかな青がそうだが、私の場合は赤だったようだ」（前同）

白の大作〈白嶂〉と、赤の大作〈紅嶺〉（ともに一九八七年）の前で、千住博が語る。

「ある神秘感だと思うんですね。その神秘のベールに手がかかった、という作品なんだと思うんですよ。たぶん白の作品で…これはこれで見事な作品なんですけれども……もう一つ何かやりたくて……何かというのは、この赤い色を見て何かを描きたいと思ったと思うんですよ。単に綺麗に錦鯉とか芸妓さんを描くんじゃなくて、もっと力強くてもっと心の奥底に眠る叫びのようなものや、根源的な神秘のようなもの、それをたぶん確信された瞬間が、私はこの絵のような気がするんですね。そうでないと、山がここまで赤く染まるということ……何ていうんですかね、今まで日本画がふれたことのない、ある深層、深いところ……ドアノブに手がかかって開いた、そういうものなんじゃないかと思うんですね」

さらに千住博の考察。

「赤が先生を選択したんですよ。私を使え、と。この赤の持っている魔的なイメージというものが、ある永遠性を持っているというか、ずうっとそれにとらわれていると。紅葉というのは刹那（せつな）で、瞬間にして変わってしまうものだけれども、私の描きたいのはそういうものじゃないんだと。そうじゃなくて、この色を通して永遠に心のなかで燃える、燃え続けていく、ある思いなんだという。そんなふうなものを先生がつかみかけた作品だと思うし、つかみかけたプロセスに見えるんですよ、私たちには。先生と赤との、何かこの、死闘というかね、一人の画家が画面に魂を吸い取られていった瞬間だと思います」

東京都内の元宋のアトリエは、今も小由女夫人に守られ残されている。岩絵の具は一〇〇〇種以上、なかでも赤系の絵の具は三〇〇種以上も揃っているという。

小由女の言葉。

「自分が亡くなってもまた生まれ変わって来てここで描くんだからそのままにしてほしいって、そんなことを言われましたので片づけるわけにはいきませんので、一〇年間ずっとそのままにしておりました」

元宋はよく草花をスケッチしていた。

「今はあまり月見草っていうのは見かけなくなりましたけど、そういうお花を庭に植えて大事に育てながら、咲くと必ず写生していました。うちで長くお手伝いしてくださった方が、『先生、それ去年も描いたし、一昨年も描いたし、いっぱい描いているよ』って、忘れちゃったのかと思って注意してくれたんです。そしたら主人が、『これはね、今咲いている月見草は、前の月見草とも去年の月見草とも全然違って、今の命なんだから、この月見草の命を今描いているんだから』って言われて、その彼女ははっとしたということを私に言ったことがありました」

元宋は奥入瀬（おいらせ）の風景を好んだ。

奥入瀬へのスケッチ旅行に同行した小由女が回想する。

「（一枚のスケッチを前にして）この場所がいちばん奥入瀬らしい場所でございまして、若草の頃は本当に空気が緑、若草に染まったような感じになるんですね。そういう感じが現場へ行かないとわからないということと、その瞬間瞬間で景色がまるで変わるんですね。ですから、神様が自分にそういう素晴らしいものを見せてくださるということで、自然に真摯な

〈奥入瀬のスケッチ〉（奥田元宋）

気持ちで、本当に抱かれるような気持ちで、行きたい行きたいといっておりました」

立山連峰の劒岳、八ツ峰をスケッチしたときのことは、奥田元宋自身が、次のように書き残している。

「早朝四時半に目ざめ、すぐ支度して池の畔へゆく。今日は快晴なるらし。持参の蚊取線香に十カ所ぐらい火をつけて置く。海抜二千米のこの辺でもブヨが出るのに驚く。やがて八ツ峰が幽暗の中で薄赤く微光をさして見える。何ともいへない感激だ。苦労してここまで来た甲斐のあったことを皆と喜ぶ。五時頃赤味を増しほんとうに赤口の朱と同じ色になる。又嘆声しきりなり。急いで色だけのスケッチを何枚もする。段々と山肌の色が変化して午前十時頃までに、朱から焼金色また群青色、最後にさらしたような白い岩肌になる。洵に一期一会とはこんな時のことをいうのだろう。一日中みんな張り切って夕方まで、八ツ峰の写生に没頭した」（前同）

（日曜美術館　二〇一三年一二月二二日放送）

美術館を旅する

川霧の町に色彩の館

奥田元宋・小由女美術館は、JR三次駅の南側の高台にあった。三次の市街は、駅の北側の、三本の川が合流するとこ

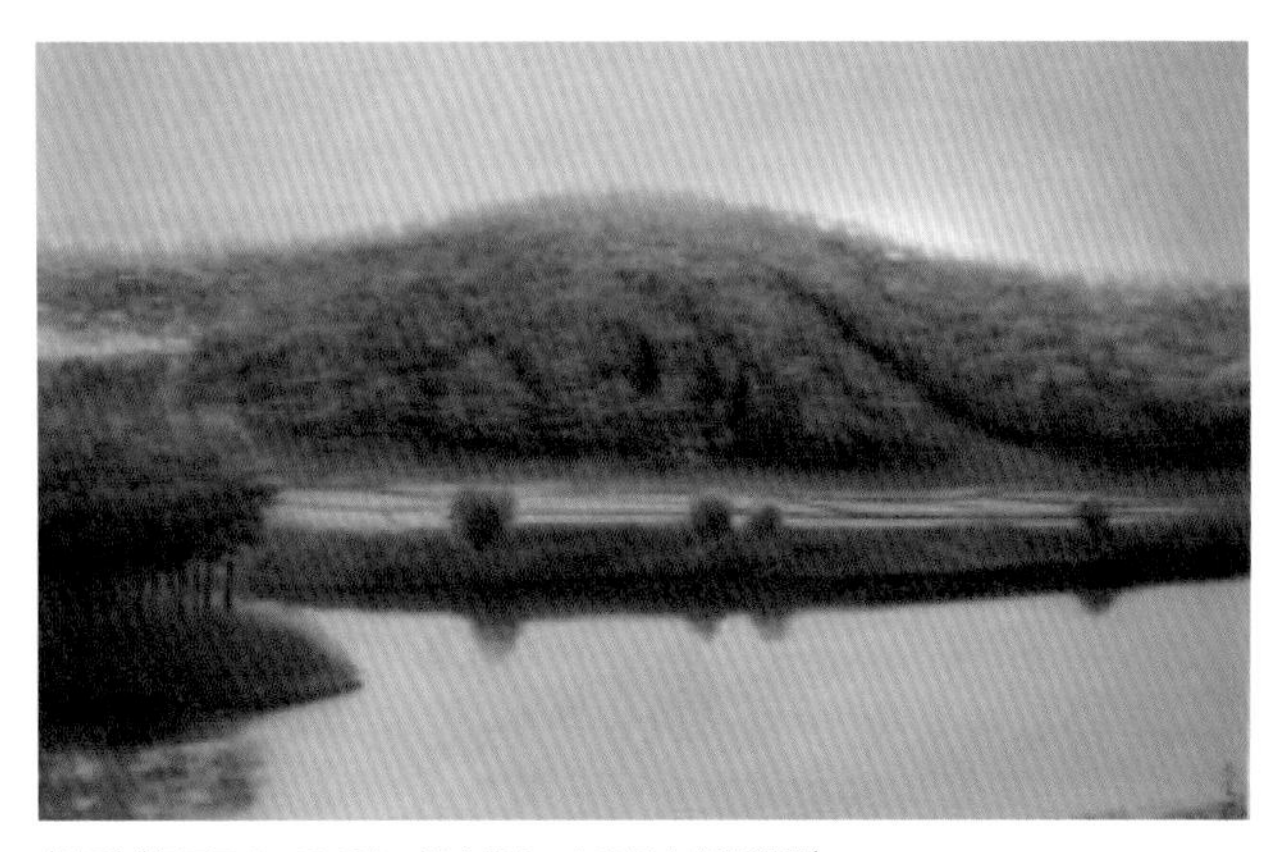

〈待月〉（奥田元宋、1949年、絹本著色、広島県立美術館蔵）

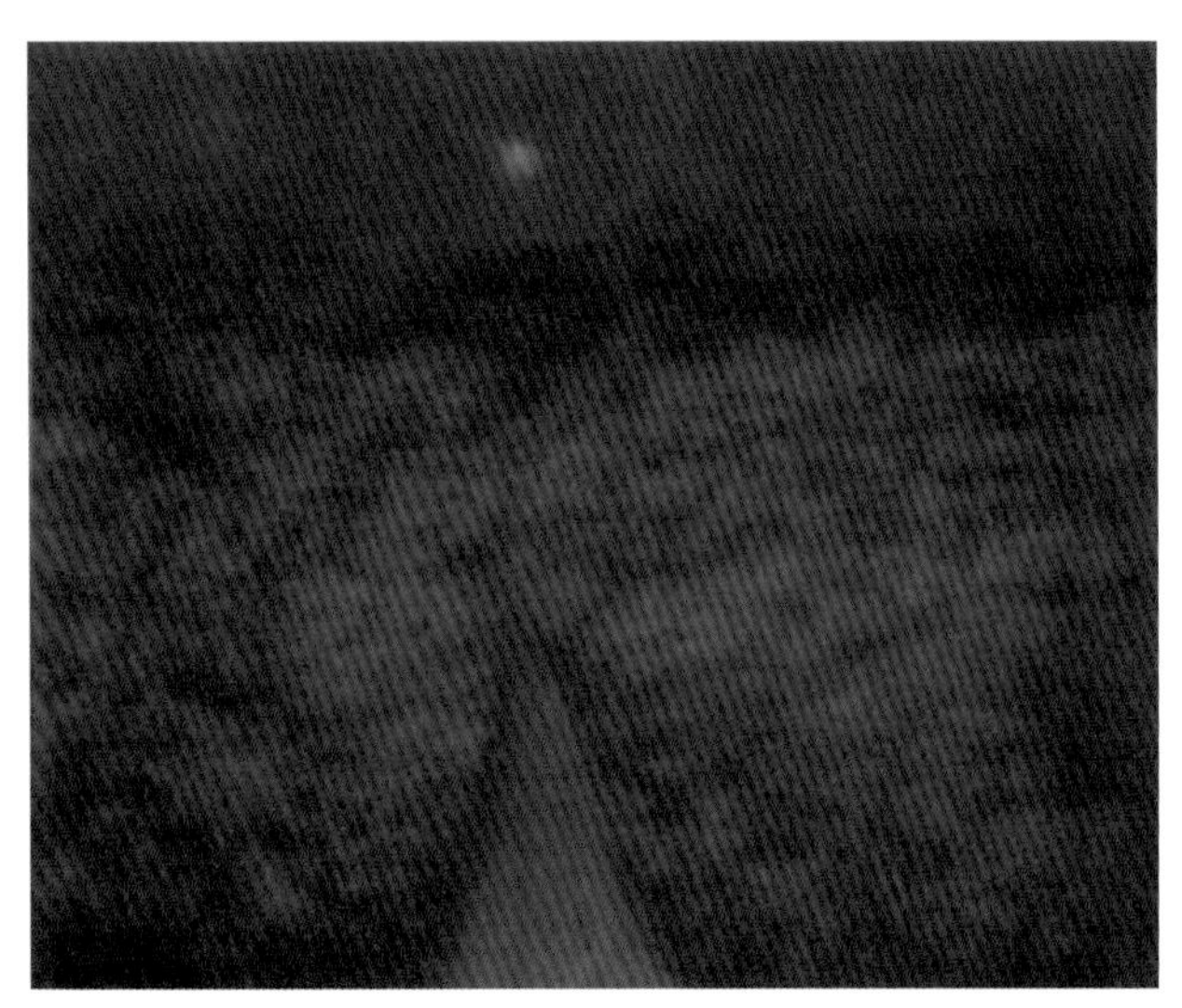

〈山径一條〉（奥田元宋、1985年、紙本著色）

〈煌〉(奥田元宋、1991年、紙本著色)

〈彩溪淙々〉(奥田元宋、1994年、紙本著色)

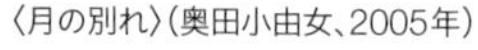
〈月の別れ〉（奥田小由女、2005年）

〈舟の旅人〉（奥田小由女、2000年）

ろに広がっている。川が多く、四方を山にかこまれた三次盆地は、季節によっては市内全体が「霧の海」に覆われることで知られている。

江の川に架かる巴橋を西に渡ると、支流の西城川沿いの三次本通りに古い町並みが残っている。六月から九月にかけては、近くで鵜飼いも行われる。三次は情趣豊かな町だ。奥田元宋・小由女美術館は、その中心市街ではなく、駅の南側へ中国自動車道を越えた先の、新しく開けた地域にある。

三次駅からバスでおよそ一五分。美術館は、バス停から市道の上に架かる陸橋を渡って、三階のエントランスに入れるようになっている。建物は三階建てで、一、二階には企画展示室やライブラリー、茶室などがある。中庭に大きな池。この池は、奥田元宋作品の重要なモチーフである「月」に着想を得てつくられている。ロビーから見える大きな池が、実際の月が出ると〈待月〉の景観を演出する仕掛けだ。池の見えるロビーでは、年に何回かクラシックの小コンサートも開かれている。

展示室に入ると、たちまち元宋の絵画の世界に引き込まれて行く。

一九八〇年代の初め頃、「奥田元宋の赤」の出現は鮮やかであった。その画面の前に立つと、ズシンとくる手応えはあっても、怖ろしさとか威圧感はなく、あくまでも明るく温かい作家の人柄が伝わってくる。画家の風貌ともあいまって、それはいかにも快男児の業に思われた。

〈花ひらく南房〉〈尾瀬〉といった一九四〇年代末から六〇年代の作品と、月下の紅葉の山を描いた〈晩秋地蔵峠〉〈山径一條〉など、赤の時代以降の一九八〇年代の作品を比べれば、元宋が「赤」に出会う前と後との違いが実によく見て取れる。もちろん、作風に変化はあっても、貫かれている画家の本質は、風景に寄り添い、同化してゆく心だ。八〇年代の元宋絵画の集大成といわれるのは〈白嶂〉〈紅嶺〉の一対。この二大作では、あまりに巨大な風景に立ち向かったために、画家はすでに風景のなかに呑みこまれ、姿を消してしまっているかのようである。一九九〇年代に入ると、突兀とした赤い岩山を描いた〈松韻石嶂〉、三日月のある〈煌〉〈新雪一ノ倉〉、非常に美しい奥入瀬渓谷の秋景〈彩渓淙々〉など、完成度が増してゆく。


奥田元宋の作品に三つの展示室、夫人の奥田小由女の作品には二つの展示室があてられている。奥田小由女は一九三六年（昭和一一）大阪府堺市に生まれ、ほどなく広島県双三郡吉舎町（現・三次市吉舎町）に移る。一九七二年と七四年の日展で特選。七六年に奥田元宋と結婚。一九九〇年（平成二）日展で日本芸術院賞。九八年に日本芸術院会員。二〇〇八年に文化功労者。日本を代表する人形作家の一人だ。小由女の作品は、木彫りの人形に胡粉を塗って仕上げ、その上から着色する技法で、色彩が何とも美しい。初期には白を基調とした抽象的な形態の作品が多かったが、一九八〇年代頃から、華麗な色彩の女性像が多くなる。胡粉と練り合わせてつくる色は、すべて小由女自身の手製であるという。

〈月の別れ〉（二〇〇五年）は、二〇〇三年に亡くなった元宋への思いを形にしたものである。小由女が述べる。

「月に吸い寄せられるように逝った奥田にさしのべる手が、制作しているうちに二つでは足りないような気がして、いつの間にかたくさんの腕になってしまった」


美術館から三次市街に戻り、古い町並みを歩いてみる。三次本通りから、上市通り・太才通りまで南北に連なる地区は、商いを中心に栄えた通りで、東西に走る小路には、由緒を伝える名が残っている。たとえば、水産物売買の中心だった「魚の棚小路」、駕篭宿が多かったといわれる「篭小路」、茶人正庵が住んでいたという「正庵小路」など。南北およそ二キロのこの一画には、古めかしい薬の看板をかけた薬局、レトロなレコード店、時計店、農機具店、江戸時代から続く伝統工芸の三次人形（土人形）をショーケースいっぱいに飾る店、畳店、酒蔵、老舗らしい和菓子店……そんな町家が点々とあった。なつかしい商店街を彷彿させる町並みである。

印画紙ににじむ、山陰の風土。

植田正治写真美術館

鳥取県西伯郡伯耆町須村353-3
(〒689-4107)
0859-39-8000

代表的なアクセス
JR伯備線「岸本」駅からタクシーで5分
あるいは
JR山陰本線「米子」駅からタクシーで25分

この美術館の
ウェブサイト
はこちらから

〈妻のいる砂丘風景(Ⅲ)〉(植田正治、1950年頃)

フィールドは砂丘

植田正治（うえだしょうじ）は一九一三年（大正二）、鳥取県西伯郡境町（現・境港市）に生まれた。子供の頃から写真に興味を持ち、一八歳の時に塩谷定好（しおたにていこう）の主宰するアマチュア写真団体「米子写友会」に入り、芸術写真を志す。三二年（昭和七）上京して、オリエンタル写真学校に入学。卒業後、すぐに帰郷して営業写真館を開業した。仕事の傍ら、「アサヒカメラ」や「写真サロン」などの写真雑誌のコンテストに応募し、上位の常連となる。一九三七年には、中国地方の写真家に呼びかけて中国写真家集団を結成。モダンな造形感覚とリリシズムの融合した植田の作品は、戦前からすでに評価されていた。戦後もそのまま故郷に住み、銀竜社、二科会などに出品し、山陰の風土のなかで写真を撮り続ける。とくに砂丘を舞台にした人物や風景の演出写真は、ユニークな写真表現として国際的にも知られる。一九七八年にはフランスの「アルル国際写真フェスティバル」に、一九八〇年には西ドイツの「フォトキナ写真展」に招待される。一九九六年（平成八）、フランスの芸術文化勲章受章。代表的な写真集に『童暦』『音のない記憶』『砂丘』などがある。二〇〇〇年（平成一二）没。

一九九五年（平成七）の「日曜美術館」で、歌人の俵万智（たわらまち）が植田正治写真美術館を訪ね、植田正治本人にインタビューした。〈妻のいる砂丘風景（Ⅲ）〉（一九五〇年頃）、〈砂丘ヌード〉〈砂丘人物〉（いずれも一九五〇年）、〈砂丘モード〉（一九八三年）などの作品が紹介され、二人のやりとりがはじまる。

植田正治　よく使う砂丘というのは、巨大なホリゾントでございいまして、広い空間に何人もの人物を並べるのにこれほど絶好の場所はないと思いましてね。それでよく砂丘を使うようになったんです。

俵万智　やはり周りに何らかの具体的な風景があると、それが人物に影響してしまう、ということなんでしょうか。

植田　ええ、それは嫌でございますから、僕はかねてから写真は単純化ということを考えておりましたので、そういう意味で砂丘というのは空と同様に非常に大事な背景なんだな、という感じは持っております。

俵　砂丘で撮られた写真を拝見しますと、遠近感がなくて、それがまた不思議な効果を生んでいますね。

植田　わざわざ遠近感をなくしましてね、等間隔に並べて、しかも奥行きもないように撮っています。

俵　そうすると、もっと遠くにいる人間が何か手のひらの上にいるような感じです。

〈少女四態〉(植田正治、1939年)

植田　僕にいわせると、みんなオブジェなんですよ。オブジェっぽい感覚で、人物を配置して撮っております。

俵　私は永遠のアマチュアだ、ということをおっしゃいますね。私たちから見ると、プロ中のプロじゃないか、と感じるんですけれども。

植田　友人はみんなプロの作家ですけれども。僕はそういうプロ意識はなくて、自分の好きなものを撮る、という姿勢を昔から続けています。自分の好きに、自分の思うように撮る。注文されて撮るんじゃなくて、全部好きなように設定して撮る。

そういうところで、アマチュアリズムみたいなものが出てくるんじゃないかと思うのです。

植田は、七〇歳で再び活動の中心を砂丘に戻した。しかもそれはファッション写真という、これまで手がけたことがない分野だった。

撮影風景の記録映像のなかで、植田正治が声を上げる。

「一列に！　一列！　もっと離れて！　二番目バック！　文句ない舞台装置だね。行くぞ！　行くよ！」

(日曜美術館　一九九五年一二月一〇日放送)

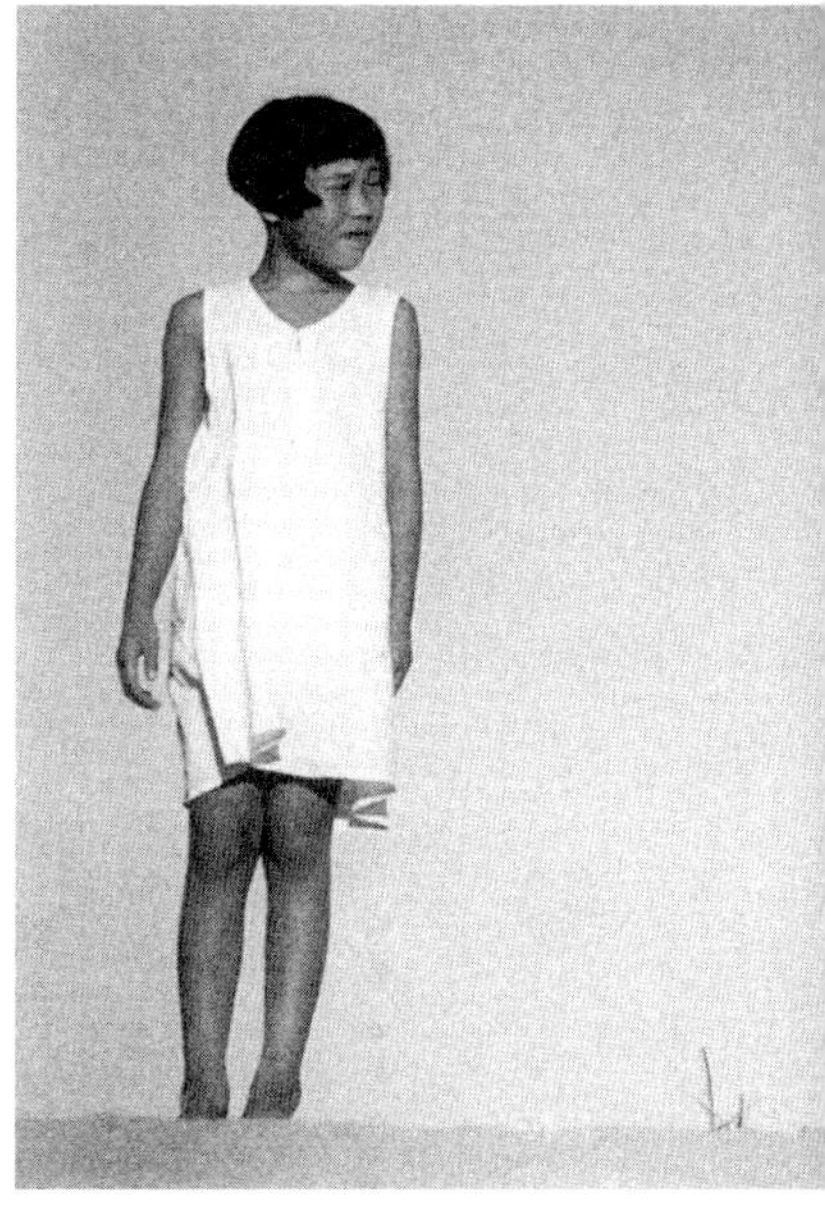

〈砂丘モード〉(植田正治、1983年)

美術館を旅する

大山の裾野の白い写真館

植田正治写真美術館は、JR山陰本線の米子駅と大山山頂を結ぶ線のちょうど中間あたりの位置にあった。米子駅から車で二五分くらい、JR伯備線の岸本駅からなら車で五分のところである。

大山の裾野のあまり建物のない高原のなかに、白いモダンな建物が建つ。外観は、大山の山頂に向き合って、窓のない四本の四角錐(三階建て)が横に並んで立ち、それを背後から半円形の擁壁がゆるく囲んでつないでいる形である。入口は、擁壁の中央にあった。高松伸の設計。主として直線で構成されており、全体にリズミカルな建築である。

この美術館の建物は、植田の〈少女四態〉(一九三九年)という写真を思い起こさせる。〈少女四態〉は四人の少女が横に並んだ、植田の代表作の一つである。建物の四本の四角柱は四人の少女を表し、それらの四角柱をつないでカーブする擁壁はホリゾントを表しているようにも見える。

この美術館は、そうした外観に加えて、館内の展示室のあり方にも工夫がこらされていた。作品を見ている間、そこがどういう空間であるかといったことは一切意識させず、作品だけに集中させてくれるようになっているのだ。美術品の展

〈あき〉(植田正治、1935年)

〈砂丘モード〉(植田正治、1983年)

示室としては、理想ではないだろうか。植田のモノクロームを中心にした写真の世界と、高松の現代建築との出会いによって、この調和が成立しているのかもしれない。

展示室は二階に展示室Aと展示室Bがあり、三階に展示室Cがある。たとえば「植田正治のリフレイン」というコレクション展では、展示室のすべてを使い、撮影された年代にかかわりなく、被写体、素材、撮影地、技法などのテーマに分けて、さまざまな作品が展示された。「お面・マスク」というコーナーには、一九六〇年代を中心とするシリーズ〈童暦〉のお多福や狐の面をかぶった子供の写真がある一方、一九八〇年代のシリーズ〈砂丘モード〉から、ジャケットを着てガスマスクのようなものをつけた大人の男の写真も取り上げられていた。手法の差異や年代の違いを越えた、植田正治のまなざしの「リフレイン」である。

戦前の作品に、つんつるてんの袷(あわせ)を着た子供が荷車のそばに立っている〈あき〉(一九三五年)という写真がある。戦後間もない頃までは、田舎では男の子も女の子も、膝下より少し長いくらいの丈の着物を着せられていた。人や牛が牽く荷車も、当時はどこでも見られたものだが、なぜかこの写真は、偶然目にしたものを撮影したもののようには見えない。子供と荷車は写真家によって組み合わせられている。一九三九年(昭和一四)に、植田は先にふれた〈少女四態〉を撮って演出写真へと一歩踏み出したが、〈あき〉にはその予兆があるよ

美術館からガラス越しに望む大山（提供：PIXTA）

うに思われる。

「写真のなかでは、人間をオブジェとして扱っている」

これは、植田自身がしばしば述べているところである。しかし、そのオブジェの意味は、植田独自のものだ。子供を撮ったおびただしい数の写真、どんな写真を撮っても画面ににじんでいる山陰の風土。そういった要素が、植田の作品を特色づけている。人間がオブジェだといっても、背景がサハラ砂漠やゴビ砂漠では、同じように人物を撮った写真でも別物になってしまうだろう。

二階の展示室Aと展示室Bとの間には、裾野の田園を前景とする大山の山容を、ガラス越しに一枚の絵のように眺望できるスペースが設けられている。これは、ここに写真を見に来た人びとへの、写真家植田正治と美術館からの挨拶のような気がする。

シベリアの色にたどり着く。

香月泰男と
山口県立美術館

山口県山口市亀山町3-1
(〒753-0089)
083-925-7788

代表的なアクセス
JR山口線「山口」駅から
徒歩約15分

この美術館の
ウェブサイト
はこちらから

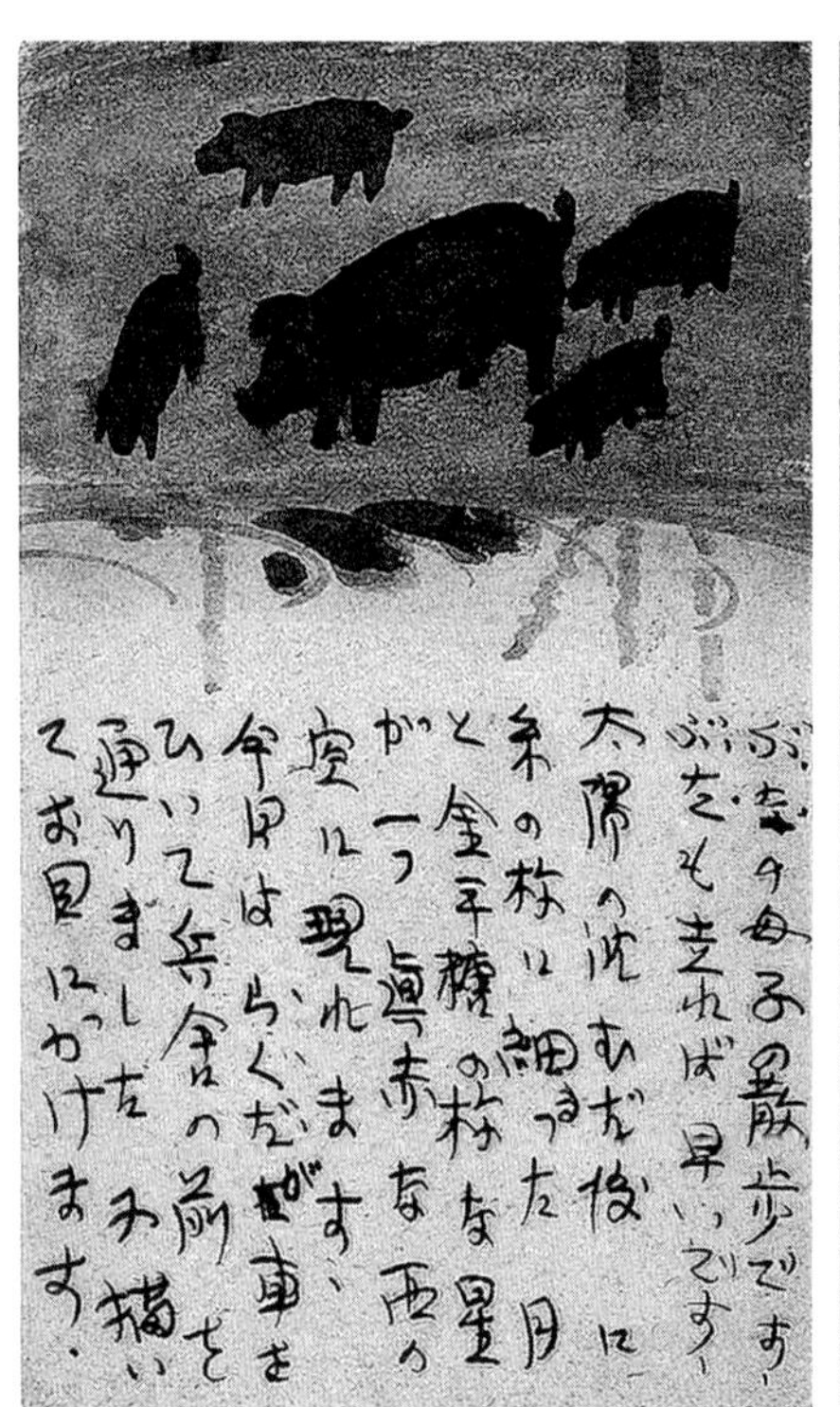
ぶたの母子の散歩です、
ぶたも走れば早いです、
太陽の沈むだ後に
糸の様に細った月
と金平糖の様な星
が一つ真赤な西の
空に現れます、
今日はらくだが車を
ひいて兵舎の前を
通りましたお描い
てお目にかけます、

十三日付の便り直
樹の絵と共に大変
面白く拝見した。
子供達の活動ぶりの
うれしい限りである。
上の絵は我家の
留守中の夕食事
である。季節が悪い
折とて胃腸には
特に注意せられよ。
絵はハトロン紙でもよい

香月泰男が、戦地から日本の家族に送った絵葉書(個人蔵)

絵があって、生きられた

香月泰男は一九一一年（明治四四）、山口県の日本海側の小さな町三隅に生まれた。幼い頃に父母と別れ、祖父母に育てられるという孤独な少年時代を送ったが、すでに小学校一、二年の時に、絵描きになる決心をしていたという。上京して、川端画学校に学んだのち、三一年（昭和六）、東京美術学校（現・東京藝大）入学。梅原龍三郎に傾倒し、在学中に国画会展に出品する。三九年に文展で特選、翌年には国画会同人となり、佐分賞を受賞した。

画家として輝かしい未来が開けていた四二年、三一歳の香月のもとに、召集令状が届く。三か月の教育召集のはずが、本召集に切り替わり、香月は満州（現・中国東北部）へ送られることになった。

一九七九年（昭和五四）と一九八三年（昭和五八）の「日曜美術館」が戦地から絵葉書を送り続けた香月を紹介した。

部隊では、香月は、毎日のように軍事郵便葉書に絵を描いていた人として有名だった。一年三か月の海拉爾（現・中国内モンゴル自治区海拉爾）の生活の間、描かれた絵入り葉書「海拉爾通信」は、じつに三五〇通余り。二日に一通の割りで出していたことになる。香月はこれを日記のつもりで描き、絵の方は、生きて帰れたら、そのまま素材にしようと考えていた。

「海拉爾通信」について、婦美子夫人が語る。

「あちらの景色をちょっと描いたり、やはり子供たちなんか気にかかるんでございましょう、わが家の食事風景なんかいろいろ想像しながら描いてきました。主人が元気で帰ってきてくれればっていうのが一所懸命でございましたので。この葉書が来ると、元気だったな、という気持ちになりますし、葉書をもらいますと、私ももちろん手紙を書いておりましたけれども、話をしているような感じがしましたですね。これが何よりも心の支えでございました」

香月泰男の言葉。

「二年ですからね。たかだか二年のものが、これほど自分の一生のなかでウエイトを持つものだとは思わなかった。忘れたいと思ったところで、忘れることはできませんからね。夏が来、秋が来、冬が来ればそれなりに兵隊の時に、捕虜の時に肌で直に経験したその風とかね、そういうことを感ずることはありますね。今の光は、あの時、兵隊の、あの頃の光と同じだったなと、戦後二十何年たっても僕は感じているわけです。とんでもないものを背負わされたと思いますよ。僕は、国家というよりも、国家の原点となる家庭というもののほうを大事だと思う。国家という目に見えないものに僕は納得いかない。手の届くところで、ふれられるものしか納得いきませんね」

（日曜美術館　一九七九年八月一二日、一九八三年二月一三日放送）

二〇〇四年（平成一六）の「新日曜美術館」は、その後のシベリア抑留と帰国、そして作品制作に向かった香月の姿を紹介した。

香月は海拉爾に二年間駐屯した後、さらに二年間、捕虜としてシベリアに抑留された。

自動小銃を抱えるソ連兵に監視され、貨車に向かって行進する日本兵。兵士たちは一様に目の前にある背中だけを見て、惰性で足を動かすように歩いている。一人ひとりの輪郭は消え、まるで一匹のムカデのようだ。

香月は後にこう書いている。

「私はいつも生き延びてやろうと思っていた。兵隊の時は死ぬこともあろうかという覚悟はあった。しかし死ぬことがあろうとも最期には絵筆を握って死ぬつもりだった。帝国軍人として死にたくはないと思った」

シベリア南部の小さな町セーヤの収容所は、六〇メートル四方ほどの敷地の、高い柵を張りめぐらされたなかに建てられていた。収容人数は二五〇名。狭い部屋にすし詰めにされ、コーリャンだけの粗末な食事で重労働を強いられた。木材の切り出しが続く過酷な日々のなかで、わずか半年の間に二五人の仲間が死んだ。

一九四七年（昭和二二）、香月は帰国する。三隅町に帰ってきた彼を、故郷は温かく迎えてくれた。香月はこの帰国の時、ソ連兵に見つからないように、一粒の木の実をポケットに縫い付けて持ち帰った。サンジュアンという豆の木の実である。故郷に帰ってすぐに蒔いたその実からは、木が育ち、六〇年後には、屋根を越える大木に成長した。

香月は戦後二七年の歳月を費やして、五七点に及ぶ「シベリア・シリーズ」を描いた。そこには、大陸への出征に始まり、シベリアでの抑留、そして帰国まで、香月が体験した四年間の戦争が描かれている。

だが、このシリーズに本格的に取り組むまでには、帰国後、一〇年を超える歳月が必要だった。それは、香月が、あるシベリアの色を表現できなかったからだといわれている。

香月は、ソ連兵に命じられて壁に絵を描いたが、絵の具が十分でなかったために、煤（すす）を使って絵の具をつくった。帰国後のある時、その記憶が蘇り、香月は顔料、石炭、木炭などを試して、シベリアでつくった黒の色にたどり着いたのである。香月はここで自分の絵を大きく変える決意を固め、記念碑的な作品〈北へ西へ〉（一九五九年）を描いた。貨車に乗ってシベリアへ向かう日本兵が、鉄格子のはまった窓から、行

【上】〈北へ西へ〉(1959年)
【下】〈青の太陽〉(1969年)
ともに香月泰男「シベリア・シリーズ」
(油彩・キャンバス)

き先を知ろうと必死になって外を眺めている。鉄格子を握りしめる手に込められた力。個性のない兵士の顔は、個々の兵士というのではなく、兵隊そのものの姿だった。この作品を描いた後、香月はそれまでの沈黙を破り、堰を切ったように次々と「シベリア・シリーズ」を描き上げていった。

香月泰男がこの世を去ったのは一九七四年（昭和四九）。六二歳だった。

（新日曜美術館　二〇〇四年四月二五日放送）

美術館を旅する

市街の森、森の美術館

山口県立美術館が建っているエリアは、山口市内でもとくに樹々が溢（あふ）れている。大通りはケヤキの密な並木道。そのまわりを、二重、三重に樹木が取り囲んでいる。ムクやヒマラヤスギ、カシなど、なかにはかなり年輪を経た大木も見られる。ほとんど森といってもいいこの一帯には、美術館のほかにも、博物館、図書館、市役所などが集まっている。

この大通りはパークロードと呼ばれ、文化エリアを貫く森の道として、日本の道百選にも選ばれている。実際、この道は車で通り抜けるだけでも、気持ちがいい。

パークロードに面している山口県立美術館は、レンガ色の数本の角柱の上に、これもレンガ色の、横に長く窓のない長方形の外壁をどんと乗せたような建物である。周囲の木々の高さに合わせたかのように、二階建てで、ファサードに威圧感がないのが特色だ。数多くの図書館を手がけたことで知られる鬼頭梓（きとうあずさ）の設計で、一九七九年（昭和五四）の開館。一九七四年に亡くなった香月泰男の遺族から、代表作の「シベリア・シリーズ」など、香月の多数の作品が県に寄贈されたことがきっかけとなって、建設された。

五七点の「シベリア・シリーズ」には、それぞれの絵に香月自身のコメントがついている。

たとえば〈青の太陽〉（一九六九年）には、『ホロンバイルで匍匐（ほふく）前進をしているときに、自分の間近に目を落とすと、蟻たちが自分の穿った穴に自由に出入りし、精いっぱい生きていた。ああ自分も蟻になって青空だけを見て過ごしたいと思った。暗い穴の底から青空を見ると、真昼でも星が見えるそうだ」とある。絵には、心象としての空の青、真昼の星、穴のなかの闇が対照的に描かれている。

点呼を受ける人々の長い行列を描いた二枚一組の〈点呼〉（一九七一年）には、こう記されている。「1947年5月17日、シベリヤでの最後の点呼が行われた。いよいよ復員船恵山丸乗船の日である。これさえ通過すれば、もうだれからも拘束されることのない、自分の身体になるのだ、と思うと、はげしい空腹感もなくなった。汚れきった作業衣の中の、やせた肉体に感謝せずにはいられなかった。多くの友が故国を見ず

〈ホロンバイル〉「シベリア・シリーズ」(香月泰男、1960年、油彩・キャンバス)
土のなかに埋まった、動物のものとも人間のものともつかない骨が描かれている

して、シベリヤの露と消えて行ったのに、よくも今日まで持ちこたえてくれたと——」

画家は、重い重い話を、さりげなく伝えようとしている。

山口県立美術館には「シベリア・シリーズ」以外にも、横たわる馬の背を描いた〈休憩〉（一九四七年／一九四九年の初の個展出品作）や、月夜に照らされた道しるべを二人の人物が見つめる〈ホロンバイル〉（一九四四年／シベリアで麻袋に描いた作品）などが所蔵されている。「シベリア・シリーズ」のなかでも作品名に用いられるホロンバイルとは、香月が従軍していた場所。現在の中国内モンゴル自治区の呼倫貝爾（フルンボイル）である。

美術館前のパークロードから美術館を仰ぎ見ると、真っ白なアンテナのようなものが、樹木の上に突き出ている。新しく建てられたサビエル記念聖堂の尖塔だ。サビエル記念聖堂は、一九九一年（平成三）に焼失したが、一九九八年（平成一〇）に再建、全体が真っ白な三角形の建物に生まれ変わった。

山口は中世に大内氏が京の都に倣（なら）って町づくりをした古都であり、瑠璃光寺（るりこうじ）の五重塔（国宝）や、常栄寺（じょうえいじ）の雪舟作とされる枯山水庭園などにその面影を偲（しの）ぶことができる。

山口県立美術館にある現代につながる美術も、古い歴史のある風土にこそ新しいものが生まれるという一つの証左だろう。美術館が、歴史と現代をつなぐ大切な場所だということを、改めて考えさせられる。

世界を驚かす、日本画と日本庭園。

横山大観と
足立美術館

島根県安来市古川町320
(〒692-0064)
0854-28-7111

代表的なアクセス
JR山陰本線「安来」駅から
無料シャトルバスで20分

この美術館の
ウェブサイト
はこちらから

〈曳舟〉(横山大観、1901年)

〈無我〉(横山大観、1897年)

世界の日本画へ

横山大観（よこやまたいかん）は、一八六八年（明治元）、常陸国水戸（現・水戸市）に生まれた。本名秀麿（ひでまろ）。生家は水戸藩士酒井家だが、のち横山家を継ぐ。一一歳のときに一家で上京、東京府立第一中学（現・日比谷高校）を卒業後、私立東京英語学校などで学んだ。洋画や日本画の師について絵を学び始めていたが、折しも岡倉天心が日本画の再興のために官立の美術学校を設立すると知り、一八八九年、東京美術学校（現・東京藝大）の第一期生として入学する。卒業後、京都で教鞭をとったりするが、一八九六年、東京に帰って東京美術学校の助教授となった。二年後、校長の天心が学校を追われた際には、同志とともに大観も辞職、天心に従い日本美術院の結成に参加する。

以後は同院の主軸として活躍し、一九〇三年にはインド、〇四年から翌年にかけては、アメリカ、ヨーロッパを遊歴した。〇六年には、天心が日本美術院を茨城県五浦（いづら）に移したのに伴い、下村観山（しもむらかんざん）、菱田春草（ひしだしゅんそう）らとともに家族を引き連れて五浦に移り、絵の探究に専念している。

天心の死後、一九〇七年、文展が開設され、大観も文展の審査員などを務めたが、一九一四年（大正三）に文展を脱退、在野の日本美術院を再興し、自ら主宰した。創作活動も旺盛であり、長年にわたって画壇に君臨した画家である。代表作のうち、〈生々流転〉〈瀟湘八景〉は重要文化財に指定されている。一九五八年（昭和三三）没。

二〇〇〇年（平成一二）放送の「新日曜美術館」で、当時日本美術院理事長であった日本画家・平山郁夫（ひらやまいくお）が、横山大観の人と作品を語った。

「大観先生は日本画家としても二〇世紀最大の画家ですが、われわれにとりましては近代日本絵画の一番の先達です。私の所属しております日本美術院展も、通算で一〇三回目くらいになるんですが、大観先生はその第一回から活躍された。ですから私にとりましては始祖とも仰ぐ先生なんです」

大観の初期の作品〈無我〉（一八九七年）について。

「大観先生のスタート、世間に出た第一作だと思います。非常に象徴的な絵ですね。作品を描く時に、無心で精神性を出そうという、天心先生の教えのような……東洋の理想というのでしょうか。新しいものを追求しながら、そういう精神性は忘れないということをしっかり持ちながら、子供の気持ちで、禅的な悟りの無我というんでしょうかね。無心で描いていくという。これを覚悟として、自分の芸術観の一歩を踏み出した。そういう作品じゃないかと思いますね。二九歳だったんですから、やはりたいへんな境地であり、心意気じゃないでしょうか」

さらに〈曳舟〉（一九〇一年）について。

「『朦朧体（もうろうたい）』というのは、悪口なんですね。従来の日本画にあった線が、不鮮明で、ないに等しい絵だという。天心先生はそんなことは無視して、新しい絵画の……当時ヨーロッパでは印象派が盛んだったんですが……空気描写、雰囲気を出しなさい、と。それを何とか日本画で創作しなさい、と。そこで大観、春草の両先生が研究して、この〈曳舟〉という作品、線が全然ないですよね。こういう空気感というものが、それまでの日本画にはなかった」

そして〈曳舟〉から一四年後の〈那智乃瀧〉（一九一五年）。

「技法がまた変わってきています。雰囲気描写の朦朧体から、同じように見えますけれども、内面に食い込むように、墨の濃淡だけで奥行きや雰囲気や霧の動きを表現していますね。このボカシがたいへん見事ですね。那智乃瀧のご神体というか、日本人にとっての霊気というんでしょうかね。そういうものが表現されているんじゃないでしょうか」

（新日曜美術館　二〇〇〇年九月一〇日放送）

美術館を旅する

美術館を創る夢

足立美術館の開館は一九七〇年（昭和四五）である。創設者・足立全康（あだちぜんこう）は美術界では有名な人物で、開館当時七一歳だった。美術館の内外を走り回るようにして来客を案内し、日本庭園の借景のために、向こうの目に入る山は全部買い占めるという話や、冬枯れの広い田んぼを指差して、あそこを全部駐車場にするというような、まことにスケールの大きい話を語っていた。そして彼は、当時は高くても四〇〇～五〇〇円どまりだった入館料を、敢えて一〇〇〇円という高額に設定したのである。

足立全康は、一八九九年（明治三二）、島根県安来市（やすぎし）（現在の足立美術館の所在地）で生まれた。生家は農業を営んでいたが、商売の道に進むことを決意。小学校を卒業すると、大八車に木炭を積んで引くところからスタート。その後、商才を発揮して大阪を中心に不動産や繊維関係など数々の事業を興し、次々に大成功を収めた。事業の傍ら、近代日本画などの収集にも力を尽くし、「郷土への恩返しと島根県の文化発展の一助になればという思い」で、自らのコレクションをもとに足立美術館をつくり上げた。

全康の収集品を母体とする足立美術館の代表的なコレクシ

「日本庭園と日本画の調和」を基本方針とする足立美術館。
【上】は、白砂青松庭。【下】は、館の窓越しに眺める雪の枯山水

【上】〈雨霽る〉
【下】〈海潮四題・夏〉（ともに横山大観、1940年）

ヨンは、横山大観。初期の出世作〈無我〉から、朦朧体の傑作〈曳船〉、六曲一双の〈紅葉〉（一九三一年）、最晩年の名作〈霊峰夏不二〉（一九五五年）、〈山川悠遠〉（一九五七年）まで、総数一五〇点を数える。それらのなかから常時七〇点ほどが、本館の横山大観特別展示室で展示されている。

大観コレクションのなかで、特に全康が収集に執念を燃やしたのは、「山海二十題」と呼ばれる作品であった（「海に因む十題」と「山に因む十題」。「海山十題」と通称されることもある）。この二〇点のシリーズは、一九四〇年（昭和一五）に、大観が画業五〇年を記念して制作したものである。作品は三越と高島屋で展観されたあと、一点二万五〇〇〇円という、当時としては破格の値段で売られ、売上代金五〇万円はそのまま陸海軍に献金された。つまり、画業五〇年は口実で、ちょうどこの年が、いわゆる紀元二六〇〇年に当たることなども考慮して、大観は切迫する時局に反応して見せたのであった。こうした作品の成り立ちも理由の一つかもしれないが、「山海二十題」は、大観の作品群のなかで独特の魅力を放つ連作になっている。

全康が大観を蒐め始めた頃は、二〇点のうちすでに何点かは他の美術館に収まっていたが、所在不明の作品もあった。その所在を必死に探し、やっと巡り合えたのが、〈雨霽る〉と〈海潮四題・夏〉だった。いま、足立美術館には、この二点を含め「山海二十題」のうちの八点が所蔵されている。

足立美術館は、ほかに榊原紫峰、竹内栖鳳、橋本関雪、川端龍子、川合玉堂など、近代日本画壇の代表的作家の作品をほとんど網羅して収蔵しており、さらに陶芸（北大路魯山人など）、彫刻（平櫛田中や安来出身の富田憲二など）、童画（武井武雄など）含めた所蔵品の総数は、およそ一五〇〇点におよぶ。

足立美術館では、ガラス張りのエントランスから見渡せる、遠景の山まで続く大庭園が、呼びものになっている。今では有名になった中根金作設計のこの日本庭園も、造園段階から足立全康の意見が取り入れられたものだ。庭園は複雑な形の美術館の建物を取り巻くようにつくられているが、何といっても前庭がすばらしい。変化に富み、緻密にして雄大な日本庭園は、四季折々にその姿を変え、土地柄、紅葉に染まると思えば雪景も見せる。

この美術館の開館直後に刊行された「季刊美術誌 求美」にこんな記事がある。

「どうやら足立さんの夢は、美術の展示を中心にして、自分の生まれ育った故郷の地に、はなやかな文化を花開かせたい、ということのようだ。それは、上方の成功者の血に流れている、太閤さん以来の伝統を思わせる」

（一九七三年春 第一五号）

全康の夢は見事に実現した。足立美術館の美術品と日本庭園は、世界の人びとを驚かせている。

鳥と棲むアトリエから。

山下菊二と
徳島県立
近代美術館

徳島県徳島市八万町向寺山　文化の森総合公園内
(〒770-8070)
088-668-1088

代表的なアクセス
JR「徳島」駅から
市営バス「文化の森」行きで約18分、
終点「文化の森」下車すぐ

この美術館の
ウェブサイト
はこちらから

フクロウを肩に乗せる山下菊二

その不思議な世界

山下菊二は一九一九年（大正八）、徳島県に生まれた。香川県立工芸学校（現・高松工芸高等学校）鋳金科卒。画家を志して上京、福沢一郎絵画研究所に学び、シュルレアリスムの影響を受ける。三九年（昭和一四）に応召、三年ほど中国、台湾で兵役につき、四五年に再び召集された。戦後、前衛美術会の結成に参加。日本アンデパンダン展、前衛美術展などに出品。七四年には中村正義、斎藤真一、星野眞吾らと从会（ひとひとかい）を結成した。一九八六年（昭和六一）没。

二〇〇九年（平成二一）の「日曜美術館」は、山下菊二自身が書き残した言葉と、夫人・山下昌子の回想を織り交ぜながら、彼の世界をたどった。

山下の生地は、徳島県西部の三好市井川町。たばこ産業で栄えた町で、山下の家は和菓子を製造販売するなど、商店を営んでいた。山下は故郷について次のように記す。

「その山と川がある、美しい私の故郷の町は、私の少年期の思い出を抱き、父母の魂が息づき、あの面白い鬼瓦に守られた家並の下は、人々が町の行く末をじっと見つめている」

山下が描く不可思議な世界の源泉には、故郷の徳島の風土や文化があった。長い伝統をもつ人形浄瑠璃。「犬神憑き」と呼ばれる古くから伝わる信仰。竹藪や沼地で遊んだ記憶など、幼年時代に体験したさまざまなことが作品には投影されている。

「私が生まれたのは、徳島という所だ。阿波浄瑠璃の盛んな所で、歌うように喋る人形ことばはわからなかったが、生きているようにいるのを見るだけで面白かった。まずはめでたや。まずはめでたや。正月になると、ポンポンという鼓の音とともに、恵比寿回しが寿ぎにやってきた。恵比寿人形の手でなでてもらうと、絵や習字も上手になるというので、私たち少年の憧れであった」（山下菊二「わたしと鳥と音楽」より）

山下は子供の頃から鳥が好きで、大人になると、スズメ、オナガ、タカ、フクロウなどあらゆる鳥を家のなかで放し飼いにしていた。山下は、鳥が自由に羽ばたくアトリエのなかで、鳥の目に見守られながら絵を描いていた。

三〇年にわたって山下の制作を見つめ、ともに鳥の世話をしていた夫人の山下昌子が語る。

「鳥は何か霊的な力があるような気がするんですね。人間が五感、第六感っていいますけど、その五感、六感、七感の鋭さが魅力だったんじゃないでしょうか。特に目の良さは、やっぱり自分にも欲しい力だったと思います。鳥を人間以上に尊敬していたようです」

〈死んだ人がわたしを産んでくれた(昭和40年7月27日母死す)〉(山下菊二、1966年、油彩・合板)。母の一周忌の追善供養のために制作された作品。魚や鳥を思わせる異形の人たちは、この世を去った山下の家族で、画面左の白馬の脇に立つのが父、中央に座り込んでいるのが母。画面右の赤い人物が山下本人。幼い頃に聞かされた黄泉の国のイメージが描かれた

〈わたしと鳥と音楽と(1)木偶人形芝居〉(山下菊二、1974年、油彩・キャンバスボード)

〈わたしと鳥と音楽と（2）恵比寿まわし〉（山下菊二、1974年、油彩・キャンバスボード）

山下が四六歳の時に描いた〈死んだ人がわたしを産んでくれた（昭和40年7月27日母死す）〉（一九六六年）は、亡母の追善のために描いた作品である。中央に座り、鳥の目で四方を見つめているのが母親。赤い鳥となって、母や父のいる黄泉の国へと向かう山下。盆には家に死者を迎え、此岸と彼岸、生と死が密接に交わる風土。山下のまなざし、それは人間の存在を深く貫き、自然や生命のひろがりをとらえていた。

（日曜美術館　二〇〇九年九月六日放送）

美術館を旅する

地域に根ざす美術

徳島の玄関口である大鳴門橋や徳島空港から市街の中心にあるＪＲ徳島駅へのアプローチは、いずれのコースをとっても吉野川の広々とした河口を渡ることになる。徳島駅の東側は海に続き、西側は徳島の象徴ともいうべき眉山である。この眉山を海側から囲むような形をしているのが徳島の町だ。

徳島駅から車で徳島県立近代美術館に向かう。眉山を西に見て走り、南へ下って園瀬川を渡ったところから右に曲がると、文化の森総合公園の美術館前に着く。三階建ての建物は、無装飾のモダンな現代建築だが、中央にとんがり屋根の部分があり、童話のなかの城を思わせる表情を持っている。開館は一九九〇年（平成二）。一階のエントランスから入館して階段を上がると、二階がロビーになっている。二階の左側全部が展示室で、ここでコレクション展が開かれる。

この美術館のコレクションを形づくる美術家は、洋画の伊原宇三郎や三宅克己、菊畑茂久馬、また版画の吹田文明といった、徳島出身の多彩なアーティストたちだ。なかでも日本人を深く掘り下げて前衛の道を探った山下菊二は、美術界に鮮烈な印象を残した画家であった。山下は五〇代で脊髄性進行性筋萎縮症という難病を発症し、一九八六年（昭和六一）に六七歳で急逝したが、八八年に刊行された『山下菊二画集』（美術出版社）を見ると、その仕事量の膨大さと、多様な挑戦のすさまじさに呆然とさせられる。

山下の作品に跳梁する異形の者たちは、どこからやってくるのだろうか。一九七九年に出版された画文集『くずれる沼　画家・山下菊二の世界』（すばる書房）で、彼は、戦地での逃亡者のリンチを強要された体験をこう書いている。

「手足を縛られた逃亡者の首から下の部分が、くねくねと叩き込まれるように、その穴の中に土とともに搗き固められて、首だけが地表にぽつんと置かれたように埋められた。その頭から、鼻を、そして耳を、順番に手渡される刀のように切れる兵器用シャベルで、この手で切り落とさなければならないのだと思うだけで、体内から消えてゆく気力とは反対に、

〈シリーズ 戦争と人間 No.12〉(山下菊二、1982年、コラージュ)。山下は、1975年に筋萎縮症を発症。しかし以降もコラージュを中心に制作を続ける。そして戦争や差別に対して作品を通じて告発を続けた

反抗的な私の視力は、遥かな地平線を射竦めるほど冴えわたっていて、(略)……シャベルは打ち下ろされていた」

徳島は、写真の分野でも豊かな人財を輩出した。明治から昭和初期ごろまで活躍した、徳島出身の洋画家・三宅克己は、デッサンの名手であったが、写真についても趣味の域を出た人で、一九二三年(大正一二)に『私の写真』(アルス)という写真の入門書を出している。徳島には写真家・立木義浩の実家で、三代続いた立木写真館があった。一九八〇年の朝の連続テレビ小説「なっちゃんの写真館」は、ここがモデルになっている。

一九七四年(昭和四九)、日本画家の中村正義をリーダーに、山下菊二、斎藤真一、大島哲以、佐熊桂一郎、田島征三、星野眞吾の七人が「从会」というグループを結成した。旧態依然とした縦系列の画壇機構に抵抗する集団として、人を縦ではなく横に並べた「从」を掲げた。美術界のサムライたちの運動として期待されたが、一九七七年に中村が早逝し、山下菊二は病に倒れてしまった。中村正義は『写楽』という本を書いたが、東洲斎写楽は一説に、徳島藩の能役者であったともいわれる。中村と山下の交流には、そういう中村の徳島への関心が関係していたのだろうか。この美術館には、日本画壇の風雲児と呼ばれた中村正義の〈男女〉(一九六三年)が収蔵されている。

小さな町と小さな美術館の、奇跡。

森堯茂・木下晋と
町立久万美術館

愛媛県上浮穴郡久万高原町菅生２番耕地1442-7
(〒791-1205)
0892-21-2881

代表的なアクセス
JR予讃線「松山」駅から
久万高原行きバスで約70分
「久万中学校前」下車、徒歩約10分

この美術館の
ウェブサイト
はこちらから

町立久万美術館の入口。右端に立つのが〈久万美術館モニュメント〉(森堯茂、1989年)

自然と対決して、なお美しく

森堯茂は一九二二年（大正一一）、愛媛県に生まれた。東京美術学校（現・東京藝大）彫刻科卒。自由美術協会員として活動。「前衛美術の15人展」（一九五七年、東京国立近代美術館）、「集団58野外彫刻展」（一九五八年、神奈川県立近代美術館）などに出品し、気鋭の彫刻家として注目された。日本の抽象彫刻の黎明期を担った作家の一人。六五年（昭和四〇）以降は松山市に拠点を移した。二〇一七年（平成二九）没。

一九九八年（平成一〇）の「土曜美の朝」で山根基世アナウンサーが松山の森堯茂のアトリエを訪ねた。森は一度完成した作品に何度も手を入れる。満足のいかない部分を切断し、角度を変えて再び溶接する。町立久万美術館の入口に立つ〈久万美術館モニュメント〉の映像を見ながらインタビューがはじまる。

山根基世　後ろの森と響き合うような感じですね。やはりこの環境というものも……。

森堯茂　この美術館ができる時に設計のうちに入っていましたから。建物と杉の木立ですね。緑とそういうものとの関係、それから太陽の運行ですね。光がどのように当たってくるかという……木洩れ日が彫刻の隙間を通って……いろんな襞がありますからね。いろんな面に変化があって、面によって光の強弱が出てくる。

山根　太陽が動くにつれて複雑な影ができそうですね。

森　そうですね、襞の深さが出てきますからね。

山根　作品を置く場所をいろいろお考えになりますか。

森　そうですね。今みたいな冬の季節、葉っぱが全部落ちた木の幹が……僕がある時住んでいたところの近くで、川の両岸からシャープな線で差しかかってきて、その向こうに夕日が落ちている。その黒い線と夕日との関係っていうのはものすごく感動できる綺麗さがあったわけですね。そういうものというのは自然のなかでしか見られない風景ですしね。作品ができて、小さいものでしたら、時々車に載せて近くの海岸まで持っていって海を背にして置いてみる。するとその作品がいいか悪いかが確かめられるんです。河原に持って行くとかね。

山根　それは何でしょう。海と対峙できるかどうかということでしょうか。

森　そうです。そこで生き生きとして見えるか、負けてしまうか。より大きく見えるかどうかという……僕自身が自然が好きで、そういうなかに座りたいとか立ちたいと思うことと、僕の作ったものがそこで生きられるかどうか。そこでだめな作品というのは、おそらくもうだめだと思うんですけどね。たとえメカニックな反自然的なものをつくっても、やはり……自然となじむというのとはちょっと違うんですけど……対決する場合もあるわけです。対決してなお、美しいものを……。自然に溶け込むっていうわけではないんですけれどもね。溶け込んでなじんで、なし崩しになるっていうんじゃないんですよ。そこで毅然としている形ですね。

（土曜美の朝　一九九八年一月三一日放送）

NHK日曜美術館から

究極の母の肖像

木下晋は一九四七年（昭和二二）、富山県に生まれた。中学時代に木内克に彫塑を学び、その後独学で油彩画やクレヨン画を手がける。一六歳で自由美術協会展に初入選。シュルレアリスムの詩人・瀧口修造や異色の美術商・洲之内徹らに認められる。以後しばらく模索の時期が続くが、八〇年代から始めた鉛筆画で独自の境地を示し、高い評価を得るに至った。

二〇一二年（平成二四）放送の「日曜美術館」が、木下のアトリエを訪問して、本人の言葉を交えながら、作品世界を紹介した。

アトリエは、東京・町田市の古い公団住宅。通されたのは、台所を兼ねた小さな居間。使っている鉛筆は、10Bから10Hまで二二種類。わずかに濃さが違う鉛筆を慎重に使い分けながら描いている。

木下の父親は腕のよい鳶職だったが、木下が三歳の時、自宅が火元となった大火事がもとで村を追われ、木下は極貧の少年時代を過ごした。幼い弟は餓死。母親は家を出て放浪を繰り返すようになる。惨めな生活のなか、自分の才能を頼りに生きて行こうと得意だった絵に打ち込んだ。一六歳の時の作品〈起つ〉。暗闇のなか灯台の明かりに向かって歩く人の姿だ。拾ってきたベニヤ板にクレヨンで描いたこの作品で、東京の美術展に史上最年少で入賞、天才少年と騒がれる。しかしその年、父親が事故で亡くなって高校を中退、パン職人の仕事などで生計を立てながら絵を描き続けるが、長く認められない時代が続いた。大きな転機になったのは、四〇歳の時、鉛筆だけで母親のせきを描いた作品だった。かつて自分を捨てて放浪生活を続けた母。あえて絵に描こうと思ったのは、結婚を機に高齢の母を引きとり、同居するようになったのがきっかけであった。

木下は母親との生活についてこう語る。

「しょっちゅう大ゲンカだったですよ。母親を殺しちゃうんじゃないかと思うくらいの大ゲンカ、いろいろあったですけれども。ただ、絵を描くとおもしろいもので、二人の間の

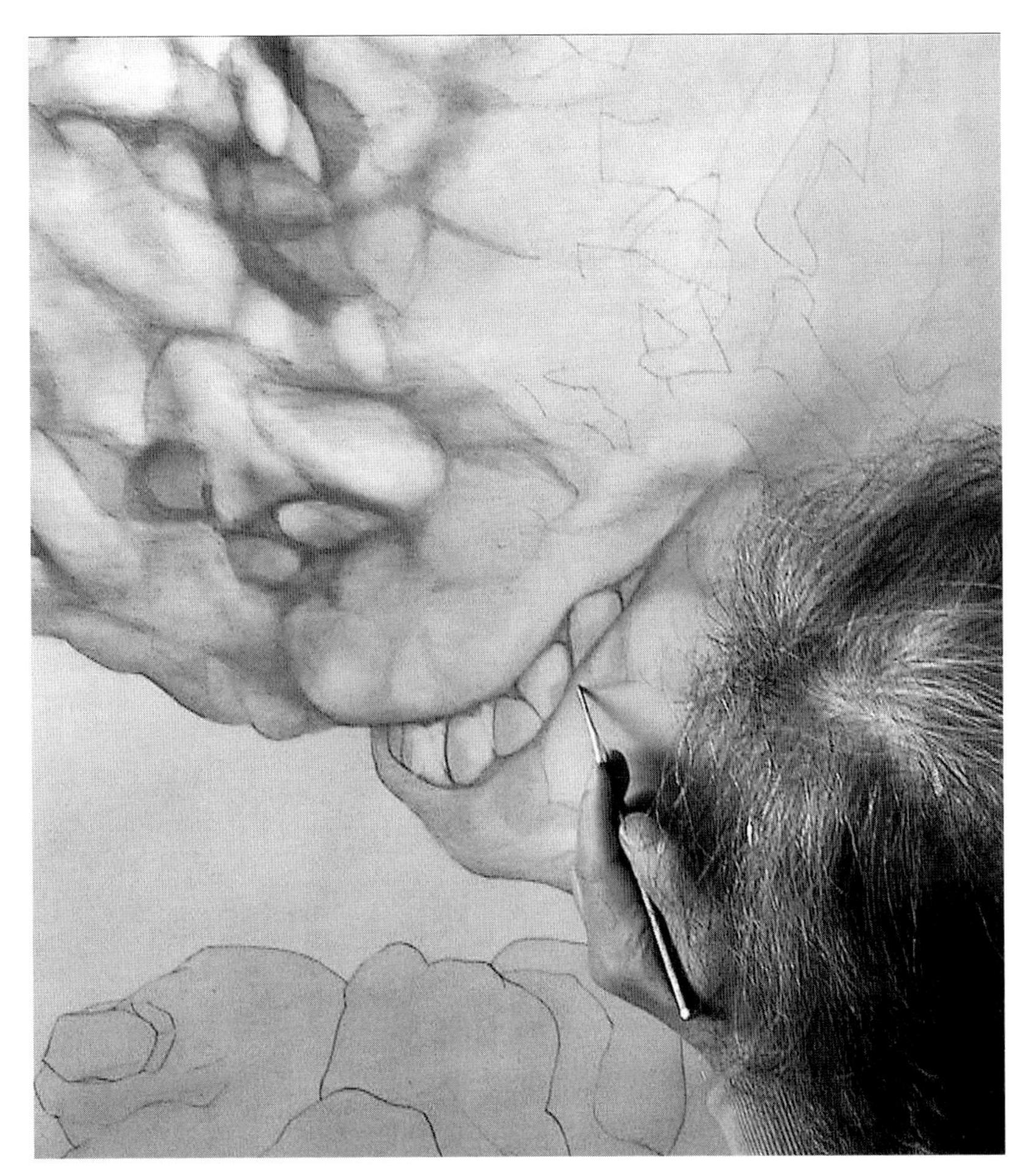

〈光の中へ〉(木下晋、2012年)、制作風景

ある種のクッションになってくれるんですよ。絵を描いていると、お互いに喋り合えるんですね」

〈流浪Ⅱ〉（一九八六年）は、母が亡くなる年の、七五歳の肖像である。鉛筆でシワの一つひとつをなぞっていくうち、母は母なりに辛い人生を送ってきたのだという思いが込み上げてきた。母が抱える闇。それをつかもうとするほど、絵はより細密に、より深い陰影を帯びていったのである。

（日曜美術館　二〇一二年五月二七日放送）

美術館を旅する

初の木造美術館

町立久万美術館にはJR松山駅からバスで向かう。瀬戸内からやがて四国山地に分け入っていくバスの旅は、途中、久万川（仁淀川水系）の渓谷を眺めながら約七〇分。バス停「久万中学校前」から一〇分ほど歩くと、杉の森のなかに町立久万美術館がある。

玄関まで上る石段の下、右横に、「井部栄治（いべよしはる）先生を讃えて」と書かれた、赤っぽいやや横長の石碑が据えられ、碑の隣に、彫刻家・森堯茂が制作したモニュメントが建っている。赤錆色の高いギサギサのついた形のものが何本か密集して立っているのだが、それは杉の木をモチーフにしたという。

美術館の建物は木造の日本家屋で、入館時には靴を脱いで上がる。四本の大黒柱は久万名物の杉の「磨き丸太」である。

記念碑が捧げられている井部栄治は、長年にわたる美術コレクションを町に寄贈して美術館建設の機運をつくった、いわば町立久万美術館の生みの親である。久万町（二〇〇四年以降、久万高原町）は、四国有数の林業地帯で、良質の杉、檜などの産地として知られる。井部栄治も造林業で成功した地元の実業家であり、町長なども務めた。美術コレクションにあたっては、松山市出身の美術商で収集家であり、美術エッセイ『気まぐれ美術館』を著した随筆家としても名高い洲之内徹に相談していたらしく、井部の日本洋画のコレクションには洲之内のそれと共通する作家の作品が多い。ほかにも郷土ゆかりの人物の書画、砥部（とべ）焼につながる古陶磁などを集めており、寄贈されたコレクションの総数は約九二〇点を数える。

久万町は一九八八年（昭和六三）に美術館建設に着手し、翌年、町立久万美術館を開館した。

開館時の久万町の町長・河野修が、開館一〇年目の一九九九年に、美術館建設当時をこんなふうに振り返った。

「そのころ、久万町では『文化の薫り高い町づくり』というキャッチフレーズで、地元産業の材木にこだわった町づくりを推進していました。（中略）美術館もぜひ木造で、というのが私たちの願いでしたが、木造では火災を恐れてよその美術館から作品をお借りすることができないのではないか、全

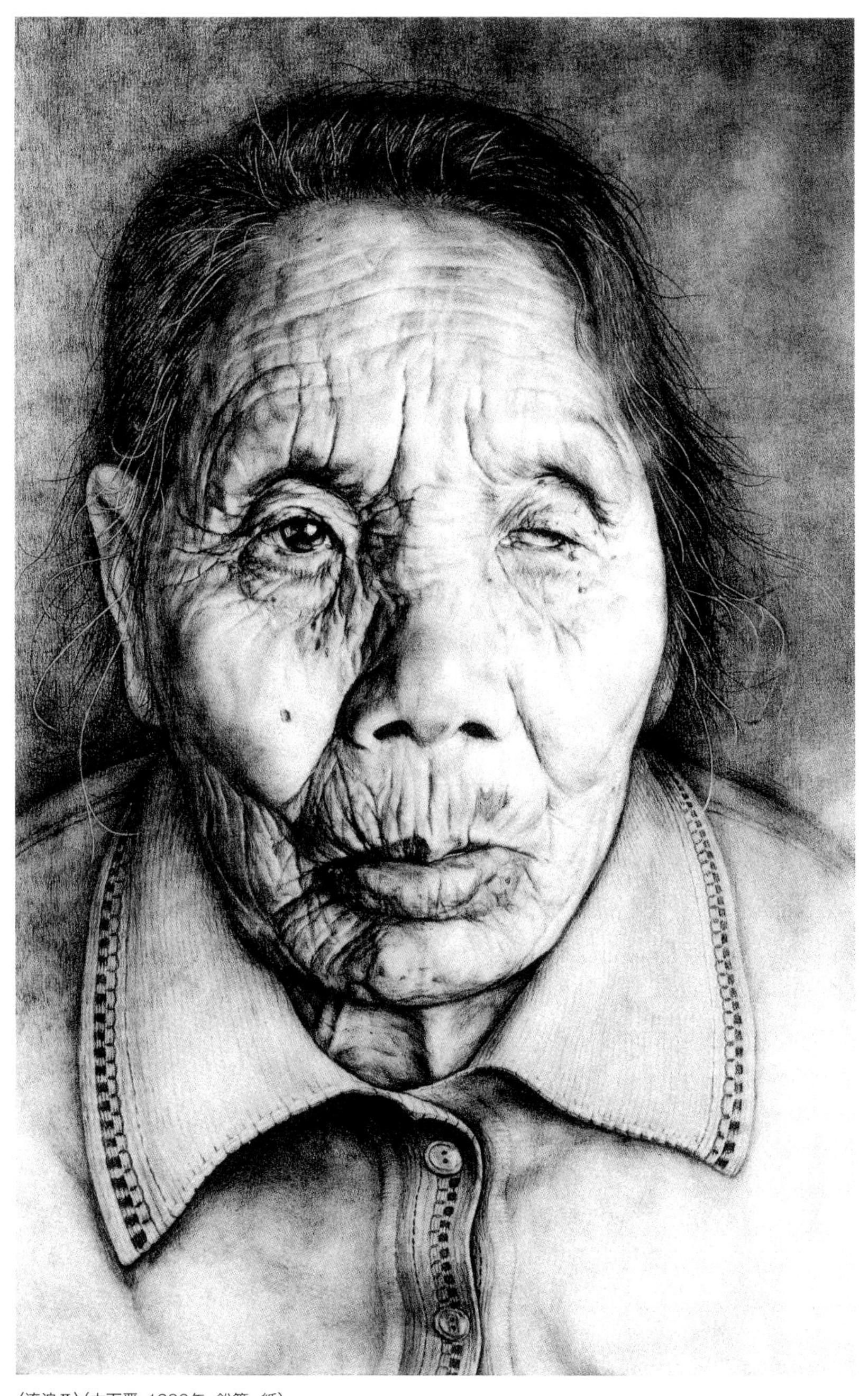

〈流浪Ⅱ〉(木下晋、1986年、鉛筆・紙)

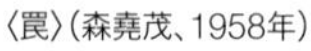

〈罠〉（森堯茂、1958年）

〈白い風景〉（森堯茂、1960年）

国の美術館に仲間入りすることができないのでは……という心配が浮上してきました。そこで、こういうことは専門家にお伺いするのが一番だと思い、文化庁にご相談に行ったのです。そのとき応対してくださったのが、当時、主任調査官をなさっていた半澤重信先生で、『設計にとりかかる以前の段階からこうしてご相談に来られたことは、たいへんうれしいことです。木という日本の古き伝統を生かした建築素材で町の美術館を建てることは、すばらしいこと。木造であっても法隆寺のように千二百年もの間保存されている立派な建物もあります。心配はいりません』とおっしゃっていただいて、半澤先生のご指導で全国初の木造の美術館が誕生したのです」

（「テオリア vol.8」コクヨ、一九九九年）

館蔵品となっている井部コレクションの日本の洋画は、高橋由一〈真崎の渡〉（一八七三―七六年）、海老原喜之助〈二人の女〉（一九二七年）、萬鉄五郎〈裸体美人（習作）〉（一九一二年）、村山槐多〈裸婦〉（一九一四―一五年）、佐藤哲三〈みぞれ〉（一九五三年）など見応えがある。

町立久万美術館では、こうした館蔵品を紹介するコレクション展に加えて、さまざまな企画展も催される。

コレクション展は、たとえば「風の通る彫刻 森堯茂 点と線」（二〇二〇年一月二五日―五月一〇日で計画されたが、会期終盤は臨時休館となった）。この展覧会では、森が追求したモアレ構

〈櫻狩り〉（伊丹万作、1927年、油彩・紙）

造（規則的な模様を重ねた時に生じる模様）の彫刻作品が展示された。企画展の「空間に線を引く 彫刻とデッサン展」（二〇一九年一〇月五日—一二月八日）は、画家のデッサンとは違う、彫刻家のデッサンの特異点を見出そうとした展覧会。森堯茂の彫刻作品〈罠〉とデッサンの〈白い風景〉が出展された。企画展「シュらん」（二〇一七年九月九日—一一月二三日）は、愛媛県ゆかりの三人の若手アーティスト（海野貴彦、西武アキラ、八木良太）の展覧会で、会の名称には、大正期に愛媛ゆかりの伊丹万作（いたみまんさく）、中村草田男（なかむらくさたお）、重松鶴之助（しげまつつるのすけ）の三人がつくった同人誌『朱欒（しゅらん）』の、若々しい創造への思いを受け継ぎたいという意思を込めたという。この企画展では、若手三人の作品に混じって、伊丹万作の油絵作品二点〈市河夫妻之像〉と〈櫻狩り〉（ともに一九二七年）も展示された。

〈櫻狩り〉は、伊丹万作の松山中学時代からの地元の友人が、万作から贈られ、ずっと大切にしていた作品だった。若き日に松山で開業したおでん屋「瓢太郎」に失敗して無一文になった万作を、家に迎えるなどして親身に支えてくれた友人に、万作はこの絵を贈ったのだ。友人が亡くなった後、一九九一年（平成三）、〈櫻狩り〉は久万美術館に寄贈された。

南国を彫る。暗黒を彫る。

土方久功・日和崎尊夫と
高知県立美術館

高知県高知市高須353-2
(〒781-8123)
088-866-8000

代表的なアクセス
JR土讃線「高知」駅から路面電車で
およそ20分「県立美術館通」駅下車、
徒歩6分(途中「はりまや橋」で乗り換え)

この美術館の
ウェブサイト
はこちらから

〈島の伊達少年〉(土方久功、1965年)

幸せと不幸は半々

土方久功（ひじかたひさかつ）は一九〇〇年（明治三三）、東京で生まれた。父久路は陸軍大佐。一族は土佐藩の出身で、叔父には明治の元勲の一人として名高い土方久元（ひじかたひさもと）がいた。久功の従兄弟には、築地小劇場を創設したことで有名な土方与志（ひじかたよし）がいる。東京美術学校（現・東京藝大）彫刻科卒。二九年（昭和四）、図画教師としてパラオに渡ったのをきっかけに、ミクロネシアの多くの島々を訪れ、民俗学的な調査を行う。島めぐりは一四年に及び、サタワル島では七年間も暮らした。四二年（昭和一七）に一度帰国するが、その後調査団に参加してボルネオに出かける。四四年に病を得て帰国、戦時中は岐阜県に疎開し、戦後は東京に落ち着いた。彫刻家として活動する傍ら、ミクロネシアの島々の民話や民俗についての著書を数多く著し、絵本や詩集も刊行している。一九七七年（昭和五二）没。

土方没後一〇年目の一九八七年、「日曜美術館」で、写真家の横山正美（よこやままさみ）が東京・世田谷のアトリエを訪ね、夫人土方敬子に話を聞いた。敬子夫人は医師で、自宅は土方のアトリエと夫人の診療所に使われていた。アトリエは当時、土方生前のままに残されていた。

敬子夫人が振り返る。

「ここに茣蓙（ござ）を敷いてカチンカチンと。カチンカチンの音がすると、ああ仕事しているんだなって」

土方は、木彫りの作品を彫る時、ミクロネシアでカヌーを彫るのに使うカイバックルという手斧を使っていた。カイバックルを使って、像を木のなかから叩き出すように彫る。土方は帰国後、ミクロネシアをテーマにしたレリーフや彫像、水彩画など数多くの作品を制作したが、華々しい脚光を浴びることなく、七六歳でその生涯を閉じた。

「いつも話してたんですけど、人間はまあ、幸せと不幸せ、良い時と悪い時と大抵半々でしょって、よく話していたんです。夫婦で良い時も悪い時も結局半々。良い旦那さんだったか、悪い旦那さんだったか、良い奥さんだったか、悪い奥さんだったか、まあ、半々だねって。だけれども、本当に自分のしたいことを通したんだから、あの人としては良かったでしょ。一生、自分のしたいことを通したのですものね」

横山正美の言葉。

「南のにおいがいっぱいだったアトリエ。土方久功という人は、一つの島だったかもしれません。私たちは流木のように島に流れ着き、やがて波にさらわれて去って行きます。そして冷たい水に流されながら、遠い遥かな南の島の光と風を夢見るのです」

（日曜美術館　一九八七年五月三日放送）

詩的な独白

日和崎尊夫は一九四一年（昭和一六）、高知市で生まれた。武蔵野美術学校（現・武蔵野美大）卒。畦地梅太郎に板目木版画を学んだが、故郷に帰って廃れていた木口木版画技法を独学で身につけ、六六年、〈星と魚〉〈星と植物〉シリーズで日本版画協会新人賞受賞。六九年には、フィレンツェ国際版画ビエンナーレで金賞受賞。以後は国際的に評価され、多くの国際展に出品。代表作に、六〇年代末から七〇年代半ばにかけて発表した〈KALPA〉や〈海渕の薔薇〉のシリーズなどがある。酒をめぐる逸話の多い作家だったが、一九九二年（平成四）、五〇歳で食道癌のため早逝した。

一九九八年（平成一〇）の「新日曜美術館」で、日和崎尊夫の木口木版画の唯一の弟子柄澤齊が、日和崎の芸術を語った。自身も三〇年近く木口木版画に取り組んでいる柄澤は、日和崎との出会いを次のように振り返った。

「一九七一年（昭和四六）秋、私は初めてヒワさんと出会った。彼の木口木版に衝撃を受け、弟子になろうと決心して、ヒワさんが講師をしていた美術学校に入学した。私は二一歳、ヒワさんは三〇歳。その大きな瞳が最も大きな輝きを放っている時期だった」

柄澤が日和崎の木口木版画について言う。

「彼の作品、仕事の創作ぶりというのは、まったくの自己流と言っていいと思うんですね。それまでの木口木版の、伝統というものから切り離された形、というよりも、それをまったく意識しないような、突然変異的に出てきた作家が日和崎さんです。西洋の木口木版画というのは、画家はペンなどで描写し、デッサンをしたものを職人のところに渡して、職人が自分のテクニックでこの版を彫り刻む。日本の浮世絵と同じように、分業制の上に成り立っていたわけです。それが日和崎尊夫になりますと、あらかじめ決められたイメージをなぞっていくというやり方ではなくて、ほとんど即興的な線で、まったく個人的な理由、彼自身の内発的な理由をここに受け止めるための、一種の試金石のような形で用いられているわけなんですけれども……そこに何か心の一番奥底から生まれてくるものを受け取るような、独白とでもいうんでしょうか。詩的な独白、何かポエジックな言葉が木の表面に刻まれた、一種の詩というようなものですね。そんなふうにも見えると思います」

高知市の西、太平洋に面した宇佐町。海を望む高台に、日和崎が亡くなる前の一〇年間使っていたアトリエがある。

「ここにあるのは、彼が自分でつくった手製の彫刻刀です。これはビュランといいまして、木口木版を彫る時に使う道具

〈KALPA一夜〉（日和崎尊夫、1972年、木口木版）。1968年に強度のノイローゼに悩まされた日和崎は、『老子』や『法華経』を耽読。そこから、“KALPA（カルパ）=「劫」”の啓示を受けたという。KALPは、その後の作品に通底する指針になった

ですが、ある時、真夜中でしたが、ヒワさんとずいぶん酒を飲んで、このビュランの話をしたことがあります。僕がビュランの刃先にも版画家の血が宿っている、というようなことが言いたくて、『ヒワさん、ビュランは舐めると血の味がしますね』と言いますと、彼は即座に否定し、『おまん、なにいうちょるか、血の味なんてそんなヤワなもんと違う。これは宇宙の果ての暗黒を絞ってその絞った汁を吸い取った、その暗黒の味だ』って言うんです。物事を突き詰めると、すべてそういうふうに極端に行き着くような人でした。彼が愛したものというのは、身近なものではなくて、遠い彼方にあるもの、人間が行くことはない、手にふれることができない、そうしたものでした。このアトリエの窓から見える景色。たぶんそうしたものが彼の目には映っていたはずです」

（新日曜美術館　一九九八年九月六日放送）

美術館を旅する

受信するものと発信するもの

高知城跡やはりまや橋のある高知市の中心市街地は、鏡川と久万（くま）川の間の沖積地の上にひろがっている。高知県立美術館はその中心市街からはずれて、久万川を東へ渡ってすぐのところにあった。

一九九三年（平成五）の開館。離れたところから見ると、美術館は、数棟の巨大な土蔵が集まっているように見える。現代建築に漆喰と瓦屋根を使用し、和の風情を出した建物だ。水を張った長方形の人工池のなかを、屋根つきの歩廊が入口までまっすぐ続くアプローチに特色がある。

エントランスで天井を見上げると、吹き抜けの高い天井は、対角線の入った細かい格子になっていて、その格子には地元の土佐和紙が貼られている。二階に上がろうとすると、踊り場に絵金（弘瀬洞意、通称・金蔵）の作品の複製画が三点掛けられている。絵金は江戸時代後期に土佐で生まれ、江戸で修業し、晩年は土佐に帰って明治初期まで活躍した浮世絵師。芝居絵や絵馬などに、強烈な終末感のようなものを漂わせた作風で知られる作家だ。

四万点を超える高知県立美術館のコレクションの特色を示すキーワードは、「マルク・シャガール」「表現主義」「石元泰博」「高知県」である。

その「高知県」にゆかりの人物に、土方久功がいる。一族が土佐藩士出身だった土方は、彫刻家であり、詩人であり、画家だったが、二九歳の年から四三歳までのほぼ一四年間、パラオを中心に南洋各地を渡り歩いて暮らした。その経験は稀有なものである。

土方の彫刻には、板に人物を彫り込んだレリーフが多く、いかにもそれは南洋風の匂いをもつ。絵画も南洋の明るさ、暖かさをよくとらえた写実画である。土方にとっての絵や彫刻は、一般の彫刻家や画家の仕事への対し方とは、どこか違っている。土方久功という芸術家は、本当は何をしたかったのだろうか。

一九四四年（昭和一九）、岐阜県に疎開することになった土方は、田舎暮らしについて夫人に手紙を書いている。田舎の広い土地で花を作ったり、畑を耕したりして暮らす夢を語った後、こう続ける。

「私ノ夢ハ『田舎』ソノモノナノダ。田舎ダッタラ、ソシテソンナ生活ガ出来ルナラバ、私ハ　ソレヲドンナ風ニ楽シムコトガ出来ルカモ知ッテイル―否、予想スル。私ハソンナ生活ノ中デ、独リデ楽シメルヤウナ―歌ヲ詩ヲ作リ、絵モ描キタイシ、タマニ彫刻モヤッテ行キタイ」（清水久夫『土方久功正伝―日本のゴーギャンと呼ばれた男』東宣出版、二〇一六年）

自然のなかで喜びのある生活をしたかった土方。創作活動は、その一部だったのではないだろうか。

もう一人、高知ゆかりの作家として、高知に住み、他の追随を許さない仕事を残した、日和崎尊夫がいる。

一九七〇年代から八〇年代にかけて、美術ブームといわれた時代には、一般の人たちのなかに版画のコレクターがたくさんいた。日和崎尊夫の木口木版画を集めている、ということになると、コレクターの間でも一目置かれたという。木口

〈メルヘン〉(日和崎尊夫、1983年、木口木版)

木版とは板目木版に対する言葉で、木を輪切りにした時の断面=木口を版面にして彫る難しい技法だ。硬く彫りにくく、彫り方を誤れば彫刻刀の方が破損してしまう。それゆえに廃れていたが、技法を復興し、木口の味わいを独自に表現したのが、日和崎尊夫であった。

「マルク・シャガール」のコレクションは、初期の貴重な作品を含む油彩画五点と版画約一二〇〇点からなる。カンディンスキーやパウル・クレーなどによる「表現主義」の作品群は、開館以来の収集の柱の一つ。サンフランシスコ生まれだが、両親が高知出身で、少年時代に帰国して高知で暮らしたことのある「石元泰博」は、写真集『桂離宮』『シカゴ、シカゴ』などで世界的に評価が高い写真家。その膨大な撮影の記録がこの美術館に収蔵されている。

高知は、今は東京からでも飛行機で一飛びだが、かつては入るにも出るにも、いささか不便な土地であった。高知の人びと自身が戯れに「土佐は独立国だ」などといっていた。そういう地理的条件がどう作用したかはわからないが、たしかに高知は独自の風土のなかで特異な文化を培い、卓越した人物を輩出してきた。

高知県立美術館は、そういう高知が受信するものと発信するものとが、生き生きと飛び交う場所である。

孤高の魂が宿る場所。

髙島野十郎と
福岡県立美術館

福岡県福岡市中央区天神5-2-1
(〒810-0001)
092-715-3551

代表的なアクセス
福岡市地下鉄空港線「天神駅」から
徒歩約10分

この美術館の
ウェブサイト
はこちらから

〈りんごを手にした自画像〉(髙島野十郎、1923年、油彩・キャンバス)

蠟燭の炎のなかに

髙島野十郎は、一八九〇年（明治二三）、福岡県御井郡合川村（現・久留米市）の造り酒屋に生まれた。画家を志望したが、両親が許さず、上京して東京帝国大学（現・東京大学）の水産学科を卒業した。長兄の髙島宇朗は、詩人で仏教に関心をもち、青木繁らとも親交のあった人物で、野十郎はこの兄を慕い大きな感化を受けたといわれている。野十郎は絵画の道を諦め切れず、当時草土社を結成して写実を追求していた岸田劉生らの影響を受けながら、その後ほとんど画壇とは没交渉のまま絵を描き続けた。一九二九年（昭和四）にはヨーロッパに渡り、各地でスケッチをしたり美術館や教会を訪ねた。特にレオナルド・ダ・ヴィンチやファン・アイクなどの作品に惹かれたという。三三年の帰国後、久留米で絵画制作に取り組んだが、三六年、四〇代の半ばで再び上京、東京・青山に移り住んだ。以後、各地を転々としながら制作を続け、久留米には帰らなかった。一九七五年（昭和五〇）没。

髙島の作品は生前には一般に知られることがなく、一九八〇年代になって福岡県立美術館の調査をきっかけに、ようやく「発見」された。

一九八六年放送の「孤高の画家・髙島野十郎」で、福岡県立美術館の学芸員・西本匡伸が髙島野十郎発見のいきさつを語った。

「私どもの美術館では、五年前に福岡県の近代の洋画家をまとめた展覧会を行ったのですが、そのための調査であがってきた作品のなかに、髙島野十郎さんの作品が一点ありました。調査を進めていくうちに、団体に属さず、ずっと一人で絵を描いておられたこと、ほかにも作品がいろいろあることなどがわかってきました。それで、この孤独な画家の全容を明らかにしようじゃないか、ということになったのです」

続いて、生前の髙島野十郎を知る人びとが登場する。ロシア文学者で早稲田大学教授の川崎浹は、二〇代の頃、六〇代の髙島と出会った。

「髙島さんと知り合ったきっかけは、私が大学に入った年ですから、三〇数年前。広い東京で、一年の間に偶然三度も会ったことです。一度は友人たちと秩父の山に登った時、ネクタイをしてスケッチブックを抱えた長身の紳士がいたんですが、それが髙島さんでした。二、三言葉を交わしました。二度目は上野の美術館で、ルーブル美術館展。私が行列に並んでいたら、髙島さんが、見終わってひょいっと出てこられたんです。ソフトをかぶって茶褐色のコートを着て、何となく土の匂いのする紳士という印象を受けました。三度目は、翌年の春先に渋谷のデパートでゴヤのエッチングを見る機会

〈絡子をかけたる自画像〉(高島野十郎、1920年、油彩・キャンバス)

があって、偶然会場でお会いしました。ゴヤの〈ド・カプリチョス〉という作品を見ながら、この絵のなかにブラックホールのような黒い部分があって、これがゴヤの悪魔なんだという説明を聞きました。ずいぶん変わった方だなあと思いましたが、青山にアトリエがあるから来ないか、ということになり、それ以来二〇年間のつきあいになったのです」

話題は、高島の代表作となった、〈傷を負った自画像〉（一九一四年頃）や〈りんごを手にした自画像〉（一九二三年）などの自画像に移る。川崎はそれらの自画像を、「前近代的な迫力ではなく、近代的な、非常に複雑な屈折した自我を持っていた証明」と見ていた。

晩年の高島の世話をした姪の田場川斐都子（たばがわひつこ）が、〈絡子（らくす）をかけたる自画像〉（一九二〇年）について語る。

「これも自画像。顔も似ています。ちょっといかめしい顔してみたんでしょ。絡子っていうのは、お坊さんがかけますでしょ。これ、叔父が絡子持っているはずがないんです。私の父（長兄の宇朗）が持ってますのよ。父は禅宗に凝っていましたから。だから、叔父は父から借りたんじゃないかと思います。絵の裏に、大正九年六月、絡子をかけたる自画像、と書いてあります」

（孤高の画家・高島野十郎　一九八六年一〇月五日放送）

一九九三年（平成五）の「日曜美術館」では、甥の高島善一が久留米での野十郎の思い出を語った。

「あまり人と話すのを好まなかったですが、私が行けば、『おーい、上がってこい』といわれたんですよ。いろんな話をしたなかで、『俺は芸術と科学以外のことはあんまり言いたくない』と言ったんです。私が小さい頃で意味がよくわからなかったんですが、今思うと、なるほどなあと、思うところがずいぶんありますね。私の父とか友人が、叔父の嫁を心配するわけです。どうして嫁をもらわないのか、と訊かれると、『俺の嫁は絵だ』と言うんですね。絵についてあまり話はありませんが、いつか福岡の生田というところで展覧会をやったとき、『いくら描いても上手くならん』としみじみ言ったことがありました」

（日曜美術館　一九九三年一二月一九日放送）

二〇〇八年の「新日曜美術館」は、没後に見出された四〇点余りの蠟燭を描いた小品に注目する。生涯繰り返し描き、要らなかったら焚き付けにでもしてくださいなどと言いながら、世話になった人に贈ったものだという。高島の数少ない画家仲間・大内田茂士（故人）もその一人。夫人の大内田友枝が思い出を語る。

「主人はアトリエの正面から、蠟燭の絵が外せませんでした。ですからやはり高島先生に生涯見ていただくという思いがあったんじゃないかと思います。絵に高島先生の優しさが出ていますね。先生の心が、絵のなかにあるような気がします」

母親が高島の友人だったというロバート・ヤンソン。母親が高島から蠟燭の絵を贈られていた。

「子供の頃はちょっとこう、不気味といっては失礼ですが、怖い絵に思えたんです。何か命の炎みたいな感じがして。高島さんは、本当に炎で燃えている強い意志をお持ちのようですけれども、私にはどうも孤独にしか見えませんでした。たくさんの火があるわけではなく、一つ、強く燃えておられるご自分の気持ちが現れているような気がします」

親交のあった川崎浹。

「この蠟燭、先のほうが赤いでしょ。これを見ているうちに絵が変わってくるんですよね。それは、自分の心が変わってくるからだと思うのだけれども、今は永遠の安らぎを人に与えている、そういう光のように見えてきたんですよ」

高島野十郎発見にかかわった西本匡伸。

「高島さん自身、蠟燭はこういう意味で描いたんだということを一切語っていないんですね。また不思議なことに、そういうことを訊いた人もなかった。これは、高島さんと、蠟燭の絵をもらった人との間に、訊かなくても互いにわかる、何か通じるものがあったのではないでしょうか」

（新日曜美術館　二〇〇八年八月三一日放送）

〈蠟燭〉(髙島野十郎、1912-1926年頃、油彩・板)

美術館を旅する

九州の洋画の伝統をつなぐ

福岡県立美術館は、博多港を目の前にした須崎公園の一角、那珂川の中洲が切れたすぐ北側にある。一階がガラス張りで二階から上は窓のない箱を置いたような建築で、その箱の部分は鈍いレンガ色である。もともとは、一九六四年(昭和三九)に福岡文化会館としてスタートした建物だったが、全面改装を経て、一九八五年に美術館としてオープンした。

福岡文化会館時代から実質的には美術館活動をしてきており、開館後間もない一九六五年に開かれたツタンカーメン展で大成功を収めている。また一九五〇年代の後半から六〇年代にかけて旋風を巻き起こした桜井孝身、オチ・オサム、菊畑茂久馬らを主要メンバーとする前衛美術家集団「九州派」の最後の活躍の舞台となったのも、福岡文化会館であった。

美術館になってからの業績として光るのは、何といっても髙島野十郎の発掘である。明治以降、九州は優れた洋画家を数多く輩出したが、戦後まで活動したこの特異な画家の発見によって、その伝統がつながっている道筋が見えてきた。髙島野十郎という画家は、何のためでもなく、ただ油絵を描かずにはいられない欲求を生涯にわたって持ち続けていた人である。福岡県立美術館には、髙島の油彩画だけで一〇〇点近

〈睡蓮〉（髙島野十郎、1975年、油彩・キャンバス）

いコレクションがある。

髙島の作品では、どうしても自画像と蠟燭の絵に注目が集まるが、数の上で多いのは風景画であり、そのなかにはパリやアメリカの風景もある。花も、果物などの静物画も描いた。風景画の場合、色彩は明るいのだが、画面に漂う寂寥感は自画像以上のものがある。また、最晩年に描かれたと思われる〈睡蓮〉（一九七五年）という作品を見ると、まるで写真のような、いや写真を超える写実の極致を見せていて、スーパーリアリズムという言葉を想起させる。

一方、髙島の蠟燭の絵については、燈明という言葉が浮かぶ。髙島には、蠟燭の絵を、燈明として人々に分かち与える気持ちがあったのではないか。

福岡県立美術館は、児島善三郎の〈静物〉（一九四九年）、藤島武二の〈山中湖畔の朝〉（一九一六年）、坂本繁二郎の〈能面〉（一九五五年）、古賀春江の〈窓〉（一九二七年）など、近代洋画の名作も収蔵している。また黒田藩の絵師であった尾形家に伝わる粉本などの資料約五〇〇〇点と、久我五千男が集めた、幕末から明治にかけて九州各地でつくられた陶磁器約五〇〇点は、この美術館の個性になっている。

久我五千男は、坂本繁二郎をして「自分の専属画商はこの人だけ」といわしめた北九州出身の大阪の画商。画廊経営の傍ら、九州の陶磁器やキリシタン資料を収集していた、高い鑑識眼を持った人物であった。

東洋の内なる深みを描く。

坂本繁二郎と
久留米市美術館

福岡県久留米市野中町1015（石橋センター内）
（〒839-0862）
0942-39-1131

代表的なアクセス
西鉄天神大牟田線「西鉄久留米」駅から徒歩10分、
石橋文化センター内

この美術館の
ウェブサイト
はこちらから

〈牛〉（坂本繁二郎、1920年、油彩・キャンバス、アーティゾン美術館蔵）

向こうへ行くと日本がわかる

坂本繁二郎は一八八二年（明治一五）、福岡県久留米市に生まれた。高等小学校の同級生だった青木繁の影響もあって画家を志し、二〇歳の時に上京、太平洋画会研究所などで学んだ。一九〇七年、東京勧業博覧会で受賞したのを皮切りに、文展でも受賞、一四年（大正三）、二科会に参加する。二一年フランスに留学し、在仏中の二三年、グラン・パレで開かれた二科会の特別展示に、現地のアトリエで制作した〈帽子を持てる女〉（一九二三年）などを出品して高く評価される。二四年の帰国後は久留米に居を定め、三一年（昭和六）久留米近郊の八女にアトリエを移し、定住。その後は中央に出ることなく、〈放牧三馬〉（一九三二年）をはじめとする馬のシリーズに取り組み、馬の画家として知られた時期もある。晩年には能面や月のシリーズも描いた。一九五六年、文化勲章受章。一九六九年（昭和四四）没。

一九六四年放送の「教養特集・美術散歩」で、坂本繁二郎自身の興味深い言葉が紹介された。坂本のアトリエがあった八女を流れる矢部川の、螢や虫の音の話に続けて――。

「虫で思い出したが、フランスでブルターニュの野道を通行中、足もとから一匹の蛙が跳んで、道沿いの溝に逃げた。私はその時それがフランスで蛙に会ったただ一度の経験であって、私の疑問になっていたフランスの寂しさの原因の一部が思いあてられたものである。私はフランスから帰って改めて考えて、自分の仕事についても、この意味で、当地八女居住を決行したのである。それとともにもう一つ、私の心の支えになっているものがある。それはかつて東京の漫画の会社（東京パック）で石井鶴三君と私が机を並べて仕事をしていた時のこと、石井君から聞かされた一言。青草がある限り、餓死はしないだろうということだ」

（教養特集・美術散歩　一九六四年三月一三日放送）

「東京パック」は一九〇五年（明治三八）に北澤楽天が創刊した風刺漫画の雑誌で、坂本繁二郎・石井鶴三のほか、川端龍子や山本鼎も同誌のために風俗漫画を描いていた。

二〇〇六年（平成一八）の「新日曜美術館」は、画家自身の言葉と、石橋美術館の主任学芸員であった植野建造の解説で坂本繁二郎の画業の軌跡をたどった。

一九二〇年（大正九）、三八歳の時、坂本は二科展に〈牛〉を出品し、次のような言葉を残している。

「東洋人独特の内的な深みを油絵で表わそうと研究を重ねてきた私の、一応の結論である」

植野もこの作品が、「印象派風の色を意識的に捨て去り、

〈放水路の雲〉
(坂本繁二郎、1924年、油彩・キャンバス)

〈帽子を持てる女〉
(坂本繁二郎、1923年、油彩・キャンバス
アーティゾン美術館蔵)

東洋の水墨画の世界に通じるもの」であることを指摘した。

翌年、坂本はフランスに渡る。パリでは当時の美術シーンにも、足しげく通ったルーブル美術館などでも、さほどの興奮も感動も感じなかった。自身、こう述べる。

「ルーブル美術館やパリ画壇のごときところに立ち入って自分の歩みに動揺をきたさないというのは、私の痴鈍を意味する恥ずべきことかもしれない。私は当時、自分をいくたびか疑って反省したのであるが、事実は正直にそれが事実であるほかなかった」

そんなながで、コローの作品との出会いが、坂本にとって一つの収穫だった。コローの、「無言の一色で深い味わいを湛える空間を示唆する」作品が、彼にヒントを与えた。

坂本は、フランス留学の総決算とでもいうべき作品〈帽子を持てる女〉で、エメラルドグリーンという色にたどり着く。坂本自身がいう「エメラルドグリーンを主調に単純化した色調を駆使する」画風である。植野がこの画風を解説する。

「しっかりとした油絵特有の技法で画面をつくり上げていくということ。さらに、一つの色を基調として、色面を並べて画面をつくり上げていくということ。そこから油絵の、ギトギトした世界とは違った東洋的なある種の清々しさもあり深みもある、そういうものを追求している」

フランスには驚かなかった坂本だが、黒い〈牛〉からエメラルドグリーンの〈帽子を持てる女〉へと、滞仏中に画風の

〈八女の月〉
（坂本繁二郎、1969年、油彩・キャンバス
京都国立近代美術館蔵）

〈放牧三馬〉
（坂本繁二郎、1932年、油彩・キャンバス
アーティゾン美術館蔵）

変遷を体験した。

一九六四年の番組で、フランスで役に立ったことを尋ねられた坂本が答えている。

「行っていろんなものを見て、珍しいものも見たんだけれども、一番役に立ったのは日本がわかったこと。行って、向こうの問題なんか一年や二年でわかるものじゃないですから。深い問題はわかりゃしない。でも向こうに行くと日本がわかる。自分の姿がわかる。それが役に立ちましたね」

それをもっと直接言い表した坂本の言葉。

「近代の日本の芸術は西洋流になり、自然認識の重要性をややもすると忘れかけている。私には自然認識の裏付けのない絵画に高度な発展を想像することはできない」

帰国後、八女に居を定めた坂本は、馬に魅せられる。

「九州の明るい、季節の変化に富んだのびやかな風土に馬が躍動する姿がぴったりして、私はもう馬に取り憑かれてしまいました。陽の光にさまざまな変化を見せる肌のツヤだとか、陰影の変化、つぶらな目に宿る生きものの自然な情感が私を虜（とりこ）にしてしまったのです」

こうして坂本は、しばらくは馬の画家と呼ばれた。彼の画家としての新たな歩みであった。

（新日曜美術館　二〇〇六年六月一一日放送）

美術館を旅する

市立美術館の誕生

二〇一六年（平成二八）一〇月、福岡県久留米市に、久留米市美術館が誕生した。それまでそこは、日本有数の日本洋画コレクションを誇る石橋美術館だった。石橋美術館は一九五六年、株式会社ブリヂストン創業者の石橋正二郎が久留米市の要望により設立して、久留米市に寄贈したものだが、その運営と収蔵品の所有は石橋財団が行っていた。二〇一六年九月末で石橋財団が石橋美術館の運営から撤退し、久留米市に返還され、それに伴って名称を変更し、建物の改修などを経て、久留米市美術館が開館したのである。旧石橋美術館の館蔵品はすべて、東京のブリヂストン美術館（現・アーティゾン美術館）に移された。

新生・久留米市美術館のコンセプトは、「近代以降、すぐれた洋画家たちを輩出してきた久留米の歴史と、同じく多くの洋画家たちを生んだ九州全域に目を向け、久留米ゆかりの作家を核とした九州洋画の体系的コレクションを形成していく」である。

この久留米市美術館には、本館と別館がある。本館が主要な展示場で、石橋美術館時代には陶磁器などの展示にあてられていた別館は、新たに石橋正二郎記念館になった。久留米市出身で、石橋美術館やブリヂストン美術館の創設者であった石橋正二郎の功績を紹介し、顕彰する記念館である。

本館は、二階建て、縦長の窓が六つずつ左右シンメトリーに並び、レンガ色の落ち着いた外観。建物の前は、ペリカンプールと呼ばれる、白いペリカンが左右にいる噴水と植え込みのある洋風の前庭で、見事なバラ園がある。内部は、シンプルに八室に分かれ、鑑賞しやすいつくりになっている。裏側には広々とした日本庭園があり、美術鑑賞のあとに散策することもできる。

美術館のホームページには、コレクションを代表して坂本繁二郎の〈放水路の雲〉（一九二四年）、髙島野十郎（たかしまやじゅうろう）の〈蠟燭〉（制作年不詳）、児島善三郎（こじまぜんざぶろう）の〈ミモザその他〉（一九五七年）が紹介されている。坂本と髙島は久留米市出身、児島は福岡市出身の画家だ。

特に注目されるのが坂本の〈放水路の雲〉である。坂本が残した言葉がある。

「帰国する少し前、妻は久留米市で借家住まいをして待っておりましたが、家の近くにあった筑後川の放水路を散歩した私は、川のかなたに広がるふるさとの、多様な変化を示す雲の姿を見て、久しぶりに自然のうるおいをかぎとることができました」

（坂本繁二郎『私の絵　私のこころ』日本経済新聞社、一九六九年）

福岡県八女市にあった坂本繁二郎のアトリエが移築復元されている

一九六九年（昭和四四）五月、坂本は日本経済新聞の「私の履歴書」で自らの半生を綴った。第一回ではこう記している。

「絵のことしか考えず、絵の世界を通じてしか物を見ない人生の大半を、郷里の久留米に近い八女市で過ごしてきました。もう四十年になりますか。それも世間からみれば、単調な人生にさらに拍車をかけたとも思われましょうが、絵の道にとって、それはプラスにこそなれ、苦にはならないことだと信じています。だれからも妨げられず、（中略）そのわがままを幾分かでも通してこられた私は幸福な方といえましょう。それに子供時代になれ親しんだ筑後の風土が目に見えない活力を与え続けてきてくれた気もします」

そして最終回にはこんな記述がある。

「絵を生かしもし、殺しもするのは、調子です。それは人生全般にもいえることだと思います。有機性とでもいいますか、力学的な均衡とでもいいますか、たとえば碁でも、高段者の打つのは白黒きれいです。将棋もそうです。ひとつひとつの石が、力学的に調和がとれています。このごろは見ませんが、あのテレビでやる相撲もそうです。（中略）スポーツに限らず、舞台でも、建築物でも、また人間の生き方にも、調子というものが大きくものをいうのは、人間社会が、知らず知らずのうちに、力学的な相関関係の中に生きているからではないですか。絵の世界もそれらのうちのひとつに過ぎません」

（『私の履歴書─文化人7』日本経済新聞社、一九八四年）

有田が誇る、やきもの専門ミュージアム。

古伊万里・柿右衛門と
佐賀県立
九州陶磁文化館

この美術館の
ウェブサイト
はこちらから

佐賀県西松浦郡有田町戸杓乙3100-1
(〒844-8585)
0955-43-3681

代表的なアクセス
JR佐世保線、松浦鉄道西九州線「有田」駅から
徒歩約12分

【上】〈染付唐草文輪花小皿〉の部分　【下】〈色絵唐獅子牡丹文十角皿〉の部分

染付の超絶技巧

四〇〇年前、今の佐賀県有田の地で始められた有田焼は、伊万里港から各地に運ばれたことから伊万里焼の異名を持つ。白地に青い模様を入れた染付が有名だ。江戸時代に焼成されたものを古伊万里と呼ぶが、その染付には、名も無き職人の超絶技巧が隠されていた。染付は描いた職人の技で値打ちが決まる。

二〇〇六年（平成一八）の「美の壺」が、伝統的な唐草文様の描き方を今に伝える陶芸家円田義行を取材した。唐草を縁取る骨線と呼ばれる細い線を、下絵をなぞるのではなく、強弱をつけながら勢いのある線で描いていく。次に骨線のなかを塗る。円田は、江戸時代の技にはとても届かないと言う。元禄時代につくられた〈染付唐草文輪花小皿〉を前に、嘆息する円田。唐草の幅はわずか二ミリ、縁にはくまなく、ためらいのない勢いのある骨線が引かれている。

「よう見たら、こんな絵をよう描いたね、と感心するんですよ。一本の線でも生きている線と死んでいる線がありますから。昔の人はすごく線の引き方が強いですよ」

生きた線は、日々大量の器つくりに従事した無名の職人の手で生まれた。民藝運動の提唱者・柳宗悦の言葉が紹介される（『柳宗悦全集』著作篇 第八巻 工芸の道、筑摩書房、一九八〇年）。

「淀みなき線。（略）それは一技に腕を磨くお蔭である。今時これ等の染付を描ける人がいたら一世の天才と仰がれているだろう。無名の是等の工人達に私は尽きない敬愛を贈る。彼等こそは世を美しくしてくれた人々ではないか」

（美の壺　古伊万里　染付　二〇〇六年四月七日放送）

NHK さまざまな 番組 から

様式を支える仕事

酒井田柿右衛門は、江戸初期から続く陶工の世襲名である。初代柿右衛門（一五九六－一六六六年）は、中国の上絵付の法を学び、日本で初めて磁器の上に色釉で文様を表すことに成功した。その後、濁手と呼ばれる乳白色の素地を開発、絵付にも工夫を加えて、柿右衛門様式を完成させていった。文様は白地を多く残し、花鳥、鳳凰、鹿などを描くが、線描は細く鋭く、彩釉は赤がことに鮮やかで、温雅瀟洒な独得の趣をもっている。この柿右衛門様式の磁器は、オランダの東インド会社を通じてヨーロッパに輸出され、ドイツのマイセン、イギリスのウースター、フランスのシャンティイなどの磁器に大きな影響を与え、またこれ

らの窯場で写しも多くつくられたことは、よく知られている。時代によって浮沈はあったが、酒井田柿右衛門の名は受け継がれ、現在の一五代目まで続いている。

工房を訪ねた二〇〇〇年のハイビジョン番組のなかで、一四代酒井田柿右衛門（当時六六歳）が語った。

「私どもの場合は、何しろ三〇〇年も四〇〇年も続いている柿右衛門様式という、一つの流れがあります。そのなかにはまるものでなければいけない、という我々だけの約束事がありまして、自分勝手に変なものを描いたりつくったりするわけにはいきません。自分では変なものをつくりたい場合もありますし、もっと自分の絵を描きたいこともあるんですよ。ですからそれを、なんとかすりあわせるというか、柿右衛門様式のなかでやる、ということになってゆくわけです」

ブロードキャスターのピーター・バラカンが、工房のなかを紹介する。

「柿右衛門さんの工房には、有田の伝統的な生産様式、分業制が色濃く残されていると聞きました。ここはやきものの形をつくる細工場。ろくろ一筋四五年の職人さん。飾りをつける職人さん。やきものの大きさなどによって細かく専門が分かれていました。特に古くから柿右衛門工房の特徴となっている技法が、型打ちです。ろくろでおおよその形をつくった後、土や石膏の型を使って仕上げます。この方法を使えば、ろくろだけではつくれない形を精密に仕上げることができま

有田・酒井田柿右衛門工房の細工場【右上】と、絵書座【右下】。
【左】は、絵書座で行われる「濃み」（だみ）。色を塗る作業である。
伝統的な分業制のなかで、完璧な技が発揮される

す。細工場のすぐ向かいにはやきものの表面に絵を付ける工房、絵書座（えかきざ）があります。この絵付も分業制でした。こちらは絵の輪郭線を描く線書き、こちらは色を塗る濃み（だみ）という仕事。一つの絵柄がじつは何人もの職人によってつくり上げられているのです」

ピーター・バラカンが問いかける。

「どうしてこういう分業になっているのですか」

柿右衛門の言葉。

「ろくろをする人が窯を焚く（た）、絵を描く人がろくろを挽く（ひ）。できないことはないし、そこそこにはできますが、ここではそういうことは抜きにして、完璧なものをつくろうとしているわけです。本当のプロが分野、分野をきちっと仕事を収めて行かないとレベルが下がる。集団が一つのものに向けて全精力をつぎ込むわけです。一人の仕事ではとてもついていけないくらいの技術がそこには入っている。そういうものを良しとして、柿右衛門窯が昔から続いてきているのです」

（海を渡った佐賀の美　二〇〇〇年一一月二五日）

美術館を旅する

有田の地平

有田駅と東隣りの上有田（かみありた）駅を結ぶＪＲ佐世保線沿いの県

道には、ちょっとすすけたような色の家がぎっしりと並ぶ。ところどころに、窯場であることを表す赤いレンガの煙突がある。今右衛門窯と今右衛門古陶磁美術館、香蘭社、李参平窯、石倉を改装した建物が目を引く有田陶磁美術館など、沿道には名だたる窯元やギャラリーが軒を連ねている。途中には、有田焼発祥の地である天狗谷古窯跡への入口もあった。

有田駅を背に広い道を真っ直ぐ南へ歩いていくと、国道に架かる歩道橋の先に、丘の上に建つ佐賀県立九州陶磁文化館の大きな看板が見えてくる。有田川に架かる橋を渡り、歩道橋を越え、丘の上までなかなかの坂道をのぼる。

陶磁文化館は、幾棟もの勾配のゆるい大きな屋根をもつ建物が、中庭を囲んでいる広壮な施設で、ロビーには一四代酒井田柿右衛門の〈濁手撫子文大皿〉が置かれていた。展示室は一階に四室。第一展示室は内部に茶室があって個展やグループ展で使用される。第二展示室は「現代の九州陶芸」、第三展示室は「九州の古陶磁」、第四展示室は「九州陶磁の歴史」である。

第三展示室「九州の古陶磁」の〈染付鷺文三足皿〉(鍋島藩窯)と〈染付山水文輪花大皿〉(有田・山辺田窯)の二点は、国の重要文化財に指定されている。

第四展示室「九州陶磁の歴史」の目玉は、輸出品の有田磁器一〇一点からなる蒲原コレクション。地元の蒲原権が一九七四年(昭和四九)にヨーロッパをめぐり私財を投じて集めた「里帰り」の古伊万里の名品群である。有田町に寄贈されたこのコレクションが、ここ佐賀県立九州陶磁文化館に寄託され、一部が展示されている。

地階に降りて行くと、たいへんな数の染付に圧倒される。藍、藍、藍である。展示数は約一〇〇〇点。ここに展示されている柴田夫妻コレクションは、染付だけを収集したもので、総数は一万点を超えるという。有田の磁器を網羅的・体系的に収集したその内容は、江戸時代の初めから幕末までの歴史的変遷がわかる貴重な資料だ。

ほかにも、九州以外の萩、備前、瀬戸などの陶器を含んだ白雨コレクション、唐津の炭鉱王として知られた高取家から寄贈された食器、調度品、文具などの陶磁器製品のコレクションがある。

二〇一六年(平成二八)、「有田焼創業四〇〇年」を記念してさまざまなイベントが催された。それまでの四〇〇年を「ARITA EPISODE 1」ととらえた佐賀県は、次の一〇〇年を「ARITA EPISODE 2」と位置づけ、新たな物語を紡ぎ出したいと考えている。

一六一〇年代に誕生した有田磁器が、長く世界のやきもの市場のスタンダードであった中国磁器を目指し、また越えようとした系譜をたどることができるのが、佐賀県立九州陶磁文化館である。

【上右】〈染付山水文輪花大皿〉
（1640〜1650年代）
【上左】〈染付鷺文三足皿〉
（1690〜1710年代）
［ともに重要文化財］

【中右】〈染付蓮花渦花卉文輪花大皿〉
（1610〜1630年代）
【中左】〈染付海老水草文輪花皿〉
（1670〜1690年代）
［ともに柴田夫妻コレクション］

【下】〈色絵花鳥文六角壺〉
柿右衛門様式
（1670〜1690年代）

絵の奥に、イマジネーションの豊饒。

高山辰雄・福田平八郎と
大分県立美術館

大分県大分市寿町2-1
(〒870-0036)
097-533-4500

代表的なアクセス
JR「大分」駅・府内中央口(北口)から
徒歩約15分

この美術館の
ウェブサイト
はこちらから

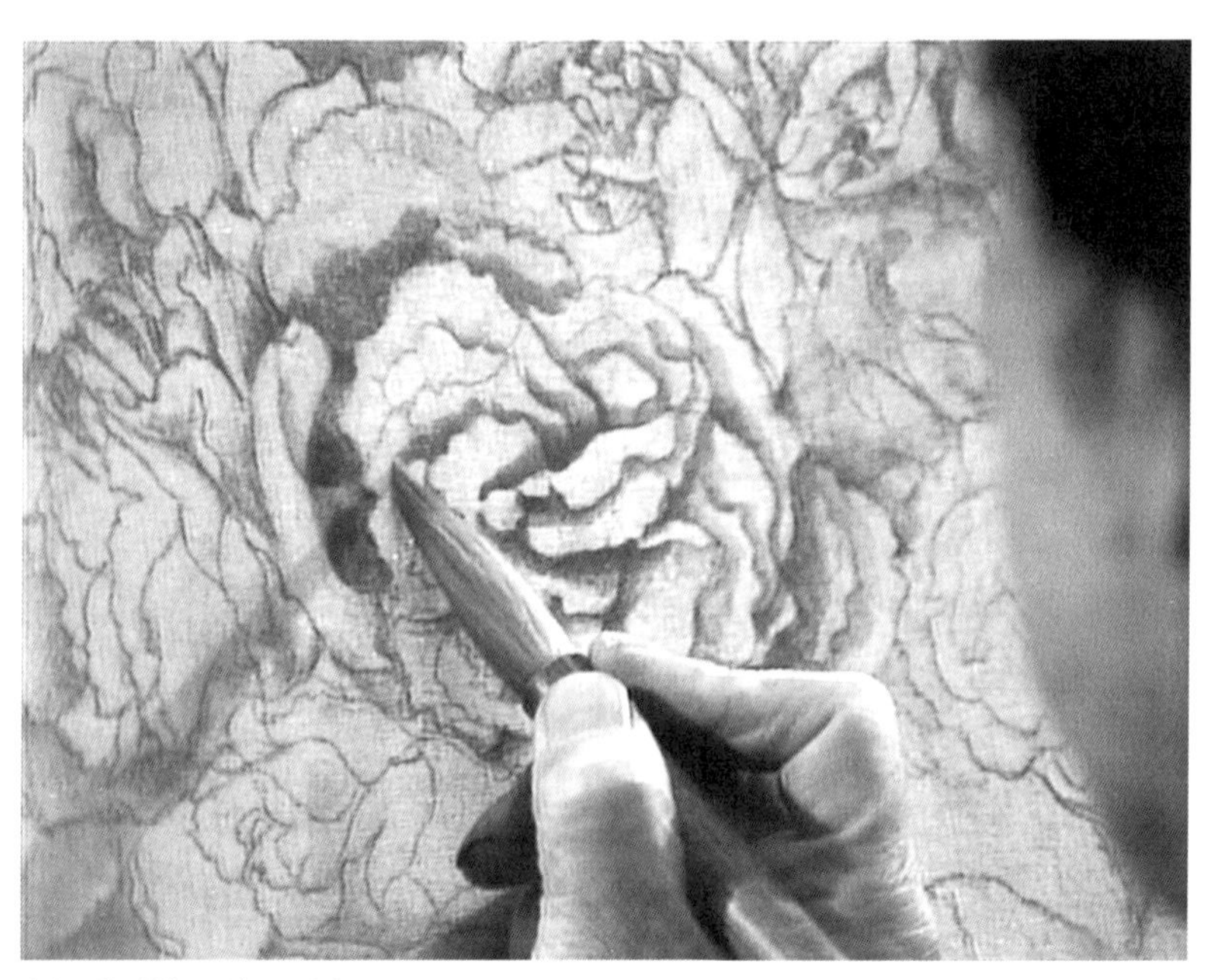

高山辰雄の制作風景(1980年)

空気が好き

高山辰雄（たかやまたつお）は一九一二年（大正元）、大分市に生まれた。東京美術学校（現・東京藝大）卒。松岡映丘（まつおかえいきゅう）に師事。在学中に帝展に初入選している。戦後の不遇時代に、山本丘人（やまもときゅうじん）からポール・ゴーギャンの本を勧められたことが、再出発のきっかけになったといわれる。四六年（昭和二一）と四九年に日展で特選。六〇年には〈白翳〉により日本芸術院賞、六五年には〈穹〉により芸術選奨文部大臣賞を受賞した。七九年、文化功労者、八二年、文化勲章を受章。従来の日本画の型を破り、洋画を消化した独得のマチエールを獲得し、とくに人物画に新しい作風をもたらした。二〇〇七年（平成一九）、東京で死去。

一九八〇年（昭和五五）の「日曜美術館・アトリエ訪問」で、六八歳の高山辰雄が語った。

「最後はどういう題がつくかわからないにしても、描き始める前に、画題というのか、狙いを言葉に直しておく。今度のこの絵は、〈海〉という題を自分のなかではつけてあるんです。その海は、海のなかの気持ちというか、自分の体中を海に浸けたような感じかもしれないし、あるいは水のなかの透き通っている奥を見た感じなのか……。自分が海岸の近くで育っているし、海のなかまで見える感じをつかめたらなあ、というようなことをはじめに考えていたものだから、この花とか鳥を借りて海のなかの、ある気持ち、あの感じを一応海という言葉に直して、手探りで画面の上に探っている」

「日本画の場合、花なら花を見て、そのまますぐ、写生しながら花になっていくものじゃなく、膠（にかわ）を溶き、絵の具を練り、という時間がある。その間に体中をいっぺん通過する感じがするんです。日本画の材料だからどうしてもそういうふうになる。すぐそのまま使えない。その事柄が通過して行くという間に何か写実でない、自分の気持ちのなかで何か答えになって手から出てくるという感じが、東洋画には、日本画にはあるんじゃないか。それから、毛筆の持っているあの弾力というものは、ただ画面に色をつけるだけじゃなくて、その弾力が強弱ってものをつけていくというのは、これは洋画のブラシではちょっとできない表現であるように思う」

「美しいっていう言葉はいったいなんだろう。やっぱり人間の命につながったようなもの、そういうものに近づければそれが美なのかもしれんし……自分の願っている事柄は、花はなぜ自然に生えて、人間はなぜ生まれて、そしてまた無に戻るのかというような事柄。でも絵の上でそんな大それたことはなかなか表現できません。そういうものに少しでも近づけたらという願いは常に持たんことはないですがね」

（日曜美術館　一九八〇年三月九日放送）

〈母〉(高山辰雄、1970年、紙本著色)
高山が次の言葉を残している。「人生はなかなかつまらん。妊娠中の母親の腹の中にいる、あの水袋の中に浮いている胎児のように、まことに頼りがない、つかみどころがないのが“生”の実体ではないだろうか」

〈冬ゆく頃〉（高山辰雄、1994年、紙本著色）
灰褐色の背景は、穏やかな陽光に包まれた冬枯れの草原を思わせる。
2人の女性と2羽の鳩は、冬の寒さから解放され、くつろいでいるように見える

一九九五年（平成七）の「日曜美術館」で、作家の大岡玲が、八三歳の高山辰雄を訪ねた。高山はアトリエで〈宵の音〉を制作している。

大岡信　これは春の情景なんですか。

高山辰雄　ええ。僕は空気が好きなんですよ。冬でも夏でも秋でも体中に感じるでしょ。春は春で、体中にぽかーっと、特に夕方とか桜が咲いている時とか、目で桜を見ているのか、体で、皮膚で見ているのか……というようような春の気というのがありますよね。夏なら夏の気とか、そういう空気というものが表現できたらと思うことが割に多いです。いつもそうとは限りませんが。春、水蒸気とか空気とか、そういうもの。材料ですね。たとえばバラの花を描きたいとか、風景で滝の絵を描きたいとか、自分の一つの表現手段として借りてきた材料なんですよね。その材料を借りたい奥には何か言いたいことがあるみたいですがね。その言いたいことっていうのは突きつめていくと常に迷いがいっぱいあるみたい。いったい何が本当で、何が美しいことで、何が正しいことなのか。

大岡　じつに細かい下絵の部分があった上で、しかし全体のイメージというのは常に、先ほどおっしゃった空気、その感じがわーっと来るわけですね。技法の細部を感じさせないで、そこに自分が溶け込んでいけるような画面がいつもあるような気がします。西洋の近代絵画の場合、遠近法もそうですが、いつも目が中心で、目が一番重要な要素になっているわけでしょ。先生の技術とかそういうものはすごく下に積み重ねがありますが、いったん絵になると、目で見た世界ではなくて、全身で見ているような世界というか……だから、いろいろな形で、よく先生のおっしゃる矛盾とかそういうことにもつながっていくのかな、という気がしますが、どうなんでしょうか。

高山　難しいな。そりゃ私、全身で見たいですよ。モノを見たい時にはよく裸足になるんです。お寺でもいろいろなところでも、見たいと思うと、裸足になる。靴履いている時と見え方が違うと私は思っている。全身で見たい。昔自分で思ったことは、心をなくして、自分というものをなくして、自分の目がレンズだったらさぞいいだろうな、と思ったことがあるんです。自分が邪魔をしている気がした。自分の目がカメラのように、気持ちというものを一切入れないでモノを見てくれないかなあと思った。かと思うと、モノ自体がレンズを通さずに、すぐ胸に飛び込んできてくれないか、と思うこともあるんです。だから私は目茶目茶なのかなー。それで私の絵は、いまだにウロウロしているんじゃないかしら。

（日曜美術館　一九九五年四月九日放送）

まさに俳句である

福田平八郎（ふくだへいはちろう）は一八九二年（明治二五）、大分市に生まれた。一九一八年（大正七）、京都市立絵画専門学校（現・京都市立芸大）を卒業。一九年に〈雪〉が帝展入選。二一年に〈鯉〉で帝展特選。二四年から母校で教鞭をとる。三〇年（昭和五）には六潮会に参加して、洋画家とも交流を持った。六一年に文化勲章受章。一九七四年（昭和四九）、京都で没。

二〇〇七年（平成一九）の「新日曜美術館」で、数学者・藤原正彦が福田平八郎の代表作の一つ〈新雪〉（一九四八年）について語った。

「雪がほんのちょっと積もったところ。これ、よく見ると雪の結晶の一個一個が見えるくらいに細密に描いてあるんですね。それで色の違い、土の上の雪と石の上の雪、石の縁とかも違うでしょ。われわれは、こういうのをいつも見ているけど、確かにこういうふうには気づかない。石の縁は縁ですから、雪は厚く積もらない。この色の違いとか色あいが本当にすばらしい。しかもこれ、全体を見るとアンバランス。石が画面右下に全然ないでしょ。一個下に持ってきたほうが安定感がありますよね。非常に不安定な構図です。この不安定なところに、一つの危うい緊張感がある。計算したのかどうか、ああいう天才ですから、本能的にした可能性もありますね」

「右上のほうは石が欠けています。左下も欠けている。左下から右上に続いて行くという、広がりが出てくる。福田平八郎はこういうふうに部分を切り取って、そして全体を想像させる。こういうほんの一部分から全体を想像させる。目の前の光景を切り取って宇宙全体まで行くような、こういうイマジネーションというのは、日本の一つの特徴ですね」

「絵と俳句はすごく似ていますけど、音楽とは全然違いますね。絵は俳句。和歌のほうは音楽に近い。俳句は、和歌のように謳いあげることはなく、自然を切り取るだけ。後は想像にお任せする。福田平八郎の絵画はまさにそうですよ」

（新日曜美術館　二〇〇七年四月八日放送）

美術館を旅する

街なかの透明な美術館

大分県立美術館は二〇一五年（平成二七）の開館。全面ガラス張りで、上階部分が、竹細工の模様のような外壁に覆われた、横長の大きな建物だ。まるで竹籠を上からかぶせたようにも見える。設計者は坂茂（ばんしげる）。

美術館の一階エントランスに展示されるオブジェ風の作品

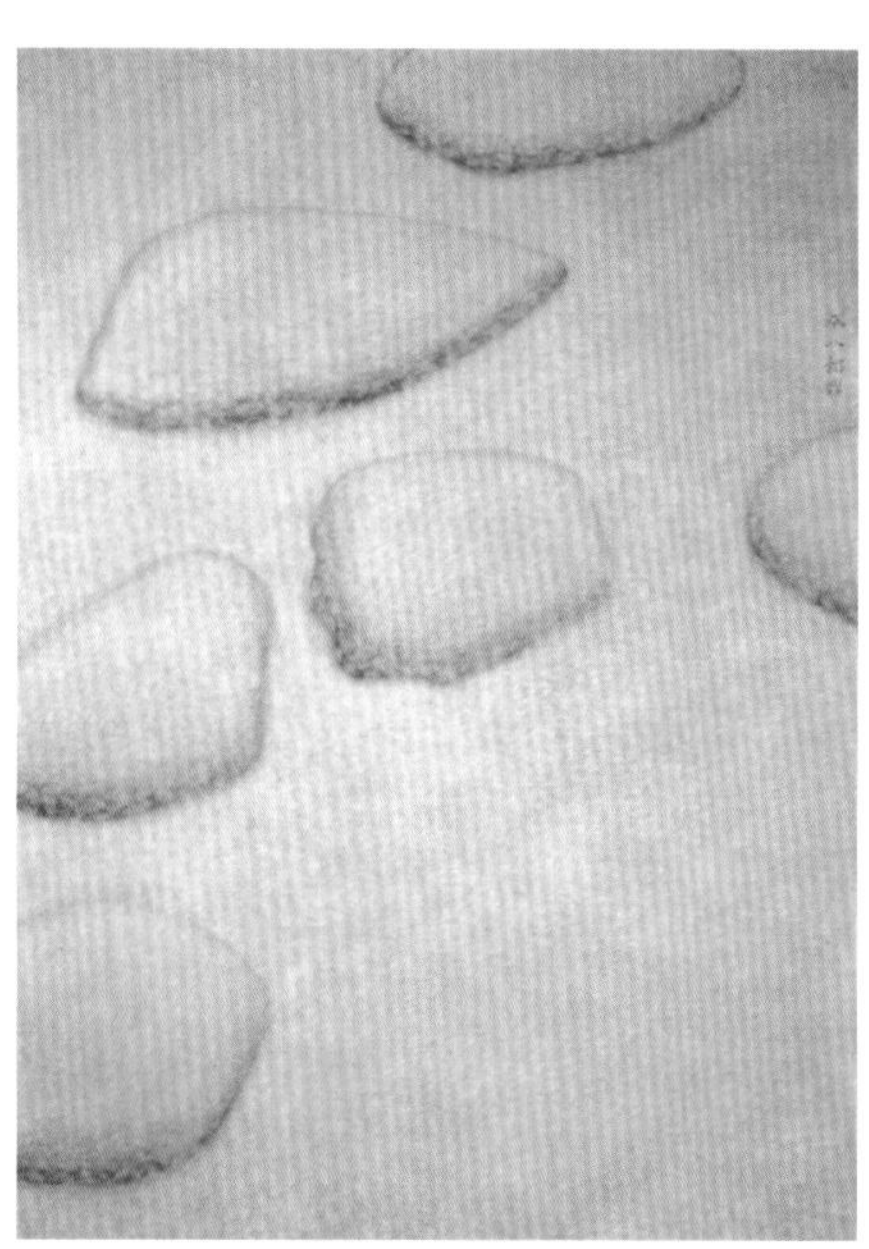

〈新雪〉（福田平八郎、1948年、紙本著色）

〈安石榴〉（福田平八郎、1920年、絹本著色）

は、オランダ人のマルセル・ワンダースの〈ユーラシアン・ガーデン・スピリット〉と、須藤玲子の〈ユーラシアの庭「水分峠の水草」〉（ともに二〇一五年）。日蘭の作家が手がけた二つの作品は、オランダ商船「リーフデ号」が大分・臼杵の先の小島に漂着した時に、臼杵の人びとが乗組員を助けた四〇〇年余り前の出来事に着想を得たものという。それが、外からよく見える。地下一階、地上三階の建物で、エントランスは二層吹き抜け。エスカレーターを二つ上がった三階の展示室は、竹工芸の「六つ目編み」をモチーフにした木組の天井で、中心に楕円形の大きな天窓がある。

大分県立美術館のコレクションは、県内の城下町、豊後竹田に住んだ田能村竹田、田能村直入師弟など、近世文人画家の作品が充実している。現代日本画ももう一つの柱で、福田平八郎と高山辰雄という、日本画界に新時代をもたらした二人の巨匠を擁している。

福田平八郎は、あまり自身のことは語らなかったが、『現代日本美術全集』のなかに、こんな言葉が収められている。

「大正の初期から中期にかけて、京都画壇の諸先輩の指導を得たが、画塾というものが、何となく私の気分に添わぬ感じがしたので、ついに入らなかった。今日からみて、これがために、大変遠い道を歩んで来たようにも思えるが、一面それ故に私は私なりに好きな道を歩んできたようにも思われる」

〈春の水〉（福田平八郎、1967年、紙本著色）

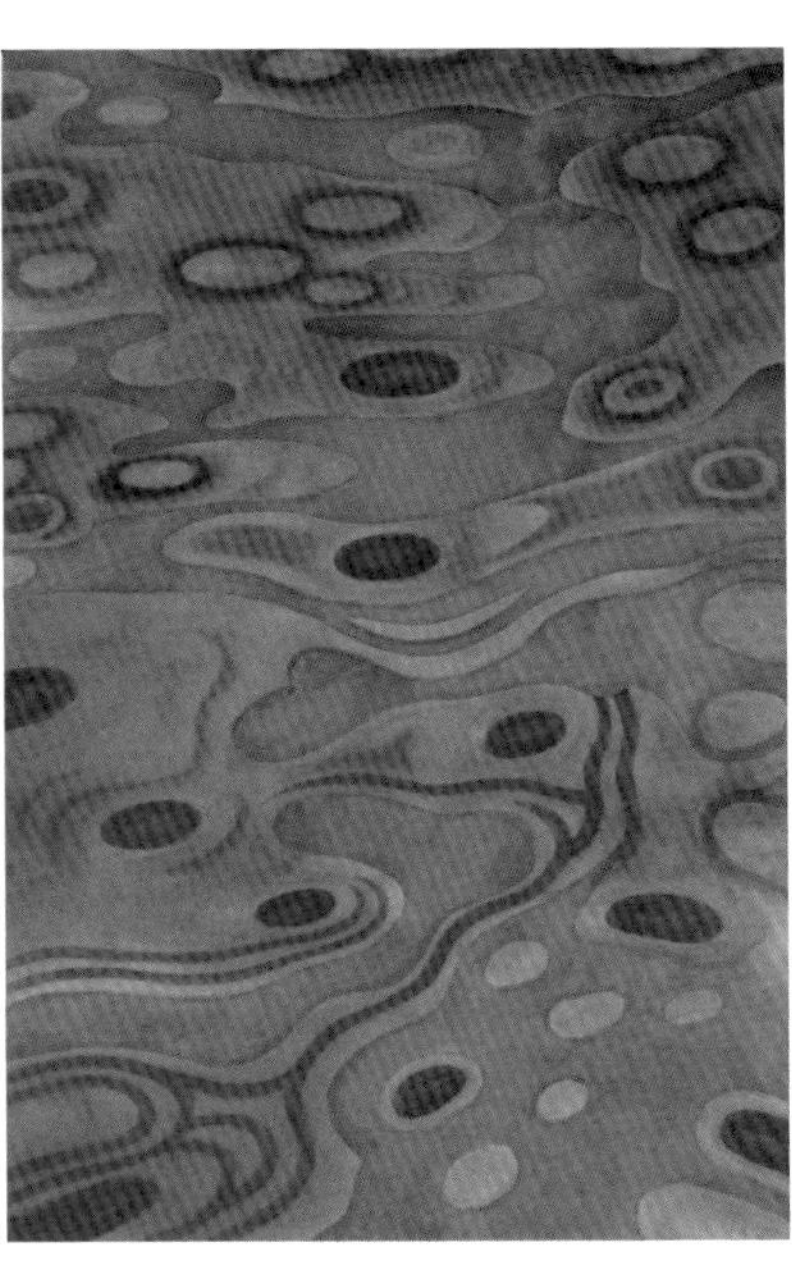
〈水〉（福田平八郎、1958年、紙本著色）

（座右宝刊行会『現代日本美術全集 六 福田平八郎』集英社、一九七三年）

あっさりと言ってのけているが、ほとんどの日本画家がいずれかの画塾に属さなければ立ち往かない時代に、自分だけの道を選ぶことは、勇気の要ることであった。だからこそ福田絵画の新しさが生まれたのだろう。

一方、高山辰雄が山本丘人からゴーギャンの本を勧められた時に述べたとされる次の言葉は、高山の覚悟を伝えている。

「もちろん、それまでにゴーギャンを知らなかったわけではありませんが、こんな貧乏な画家がいたのかと改めておもいました。それからは貧乏があまりこわくなくなったし、画についても、入選、落選、特選とかを離れて、多少自分というものがわかってきたような気がしました。もう色でも形でも自分の好き勝手描いてやれという覚悟もできました。それを思うとゴーギャンは私の画業につよい反省のようなものを教えてくれた気がします」

（菊池芳一郎編『高山辰雄』時の美術社、一九六七年）

日本近代美術史における抽象絵画のパイオニアと呼ばれる宇治山哲平（うじやまてっぺい）も、東洋のロダンと称された彫刻家の朝倉文夫（あさくらふみお）も大分生まれだ。彼らも含めた大分出身作家の作品の特色は、明るさだ。透明なガラス張りの大分県立美術館が、そのことを再認識させてくれる。

職人技の迫力に、たじろぐ。

生人形と
熊本市現代美術館

熊本県熊本市中央区上通町2-3　びぷれす熊日会館3階
(〒860-0845)
096-278-7500

代表的なアクセス
JR鹿児島本線・豊肥本線「熊本」駅から市電またはバスで約15分、あるいはJR豊肥本線「新水前寺」駅から市電またはバスで約10分、いずれも「通町筋」下車すぐ

この美術館のウェブサイトはこちらから

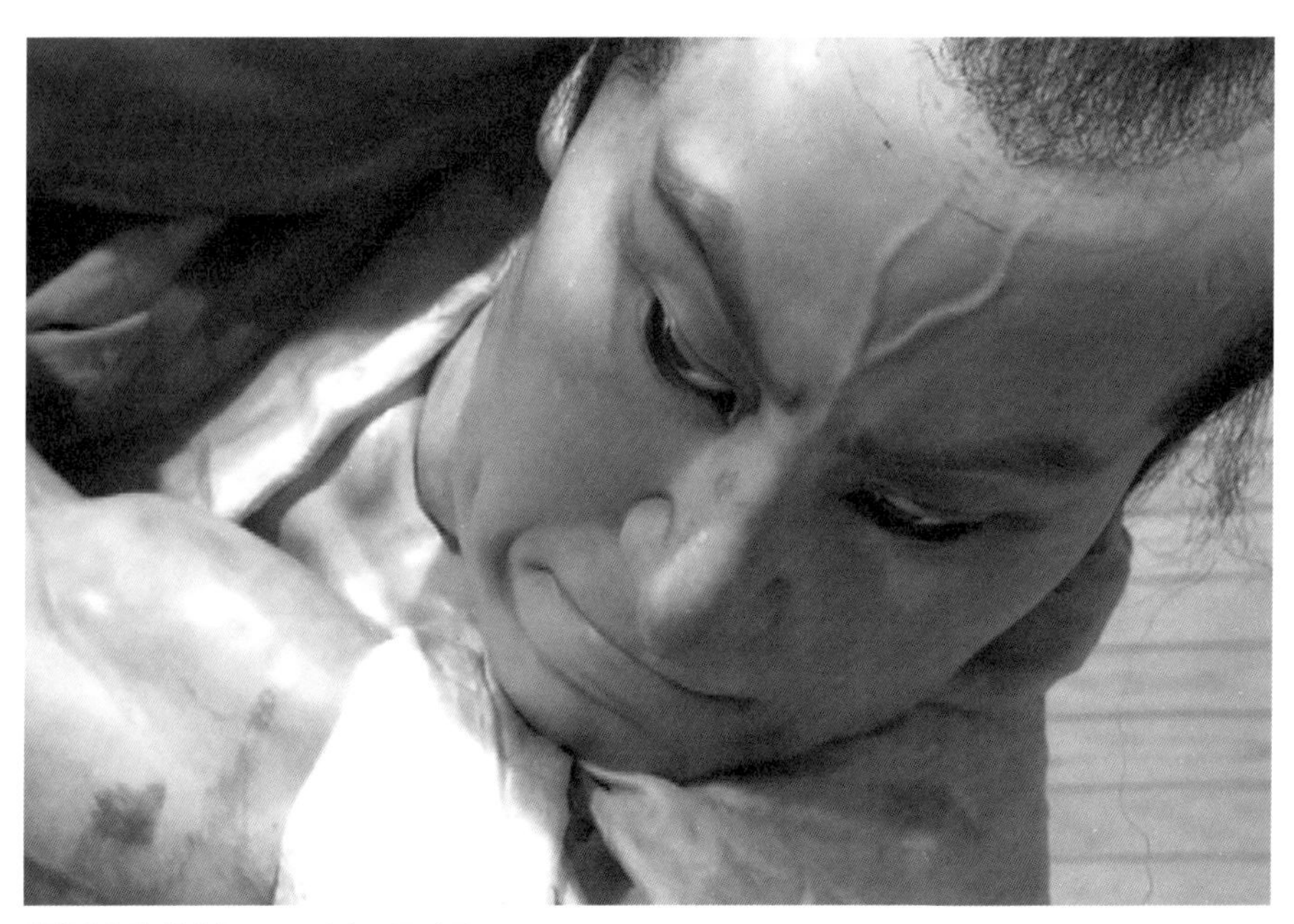

〈相撲生人形〉(安本亀八、1890年)の野見宿禰

NHKさまざまな番組から

等身大のいのち

一八九〇年（明治二三）に熊本出身の職人・安本亀八（一八二六―一九〇〇）によってつくられた〈相撲生人形〉は、『日本書紀』に記された、野見宿禰と当麻蹶速による日本最古の相撲を表現している。二メートルを超える二つの巨体が絡み合う迫力は、明治時代の観客を喜ばせたに違いない。

「生人形」の歴史は、一九世紀後半、幕末の安政年間に遡る。当時、江戸の浅草や、大坂の難波など、大都市の盛り場にこれまでにない人形の見世物が現れた。人間そっくりの等身大の人形が、舞台装置のなかでさまざまな場面を演じる。芝居の名場面、空想上の外国人、日常生活のユーモラスな一瞬まで、生きている人間と見まがう人形たちの群れ。幕末、明治の人びとは、「生人形」の興行に熱狂した。「生人形」ブームの立役者が熊本出身の人形師たちだった。その第一人者が「相撲生人形」をつくった安本亀八、そして「生人形」の名を天下に知らしめた第一人者・松本喜三郎（一八二五―九一）である。一つの見世物興行には数多くの場面があり、時には一〇〇体を超える「生人形」がつくられた。松本は、興行全体の構成から、それぞれの場面の演出まで考え出す大プロデューサーでもあった。

二〇〇九年（平成二一）放送の「日本美術体感ツアー」は、生人形の歴史を語るナレーションとともに、その組み立て作業を紹介。熊本市現代美術館学芸員の冨澤治子が〈相撲生人形〉の見どころを語った。

「材質は木です。外側を日本画の染料で色付けして、胡粉と呼ばれる貝殻の粉を盛り上げて血管を表現しています。これは、ちょっと高いところに展示していたと思うんですよ。だからしゃがんで見てください。そうでないとヒーローの顔が見えません。下から仰ぎ見る感じです。顔、かっこいいんですよ。歌舞伎役者っぽい顔をしています」

（日本美術体感ツアー　二〇〇九年一月三日放送）

美術館を旅する

市電に乗ってアートに会いに

熊本には路面電車の市電が走っている。熊本市現代美術館を訪ねるには、JR熊本駅からこの市電に乗る。祇園橋、呉服町、河原町、花畑町などと、趣のある停留所名が続き、熊本城の次が美術館のある通町筋。城のすぐ前だが、あまり櫓などは見えないところだ。一帯は熊本きっての繁華街で、通町筋からは上通、下通、篭町通りなど、アーケードの商店街

〈相撲生人形〉（安本亀八、1890年、桐・彩色）。像容は1.7×1.5×1.6メートル。
色白の野見宿禰が浅黒い当麻蹶速を投げ飛ばそうとしている場面の造形。
２人の力士が直立した場合の身長は２メートルを超える

が両側に伸びている。熊本市現代美術館は通町筋に面して、鶴屋百貨店の向かい側、熊本日々新聞社の看板が掛かった大きなビル（びぷれす熊日会館）の三階にある。開館は二〇〇二年（平成一四）。

熊本市現代美術館は、三つのコンセプトを掲げている。「POWER」（アートの力を見せる）と「LOVE」（アートへの愛情を育てる）と「CONNECT」（アートで人と人をつなぐ）。

開催された企画展は、たとえば「知っとるね？　くまもとのお宝、大公開てばい！」というコレクション展。日比野克彦のピアノのオブジェ、坂本善三の抽象画、横尾忠則のポスター、蜷川実花の写真など美術の多様な表現を楽しみながら「くまもとのお宝」を発見しようとする企画で、熊本出身の日本画の大御所堅山南風（一八八七―一九八〇）の天井画の大下図や、洋画家の井手宣通（一九一二―一九九三）の作品などが展示された。

あるいは、「熊本城×特撮美術 天守再現プロジェクト展」。特撮美術のプロフェッショナルが熊本城の天守閣と宇土櫓を二〇分の一のスケールで精巧につくり、同時に城下の街並みをイメージしたミニチュアも製作。来館者は、このセットのなかで、無傷でそびえる熊本城を撮影することができる……。二〇一六年の熊本地震で被災した熊本のシンボルを、市民のために再現したプロジェクトだった。

こうした企画展の際にも、〈相撲生人形〉は、展示室に置かれている。まずその大きさに驚く。一メートル弱の台の上に展示された人形は、ふつうの人間の実物大よりもはるかに大きい。さらに怒号そのもののような顔つき、目一杯力んだ二人の男の裸の四肢がものすごい迫力だ。とても神々の相撲などには見えない人間臭さである。

この〈相撲生人形〉をつくった安本亀八の別作品・二種四点も熊本市現代美術館に収蔵されている。一つは、女の子の頭部を表した高さ二〇センチほどの〈三歳女児 利子像〉（一九二〇―三〇年頃）、もう一つは〈面三種〉（制作年不明）で、男面・女面・ひょっとこ面の一揃いである。また作者不詳の〈花嫁生人形〉（一九三五年頃）も、近年、熊本市現代美術館のコレクションに加わった。像高一六五センチのこの〈花嫁生人形〉は、以前は、アメリカのハリウッド女優で後に外交官としても活躍したシャーリー・テンプルが所蔵していた。

展示室の手前、本棚に囲まれた書斎のようなホームギャラリーに入って行くと、奥の壁面に飾られた額装がパッと目に入り、強く引き寄せられた。キリストの聖体を抱いて嘆く聖母マリアの図。作品名は〈Modus Vivendi –Pieta–〉。よく見ると絵ではなく、生きた人間がキリストとマリアに扮した写真であった。説明を読むと、ユーゴスラビア出身のアーティスト、マリーナ・アブラモヴィッチ（一九四六―）と、ドイツ人のウーライ（一九四三―）によるパフォーマンスとある。現代のマリアとキリストが、厳かな表情でそこにいる。

静けさに耳をすます、阿蘇山麓。

坂本善三美術館

熊本県阿蘇郡小国町黒渕2877
（〒869-2502）
0967-46-5732

代表的なアクセス
JR豊肥本線「阿蘇」駅から杖立行きバスで約60分、
「ゆうステーション」下車、
そこからタクシーで約5分

この美術館の
ウェブサイト
はこちらから

坂本善三の生地に建つ坂本善三美術館

沈黙の錬金術師

坂本善三は一九一一年（明治四四）、熊本県に生まれた。一九二九年（昭和四）に上京。三一年、帝国美術学校（現・武蔵野美術大学）に入学したものの三年で中退。三五年に応召。以後、応召と除隊を繰り返し、一〇年にわたる長い兵役生活を送った。終戦で郷里の熊本に戻る。四九年、独立美術協会の会員となる。五七年、ヨーロッパに渡り、パリを拠点に各地を歩いた。二年後に帰国。その後、九州産業大学教授に就任する。八六年、パリで開かれたＦＩＥＳＴ展で〈構成80〉が専門家賞を受賞。一九八七年（昭和六二）、熊本で没した。

二〇一〇年（平成二二）放送の「ミューズの微笑み ときめき美術館」が、坂本善三と故郷のかかわりを紹介した。

阿蘇の北側、小国町に生まれた坂本は、体の大きい、おとなしい少年だった。小国町には、坂本の想像力を掻きたてる深い杉の森があった。薄暗い森の奥には、きっと天狗や妖怪が潜んでいる。彼はひたすら魑魅魍魎の世界に思いを馳せた。目を閉じると瞼に必ず現れる大好きな魚の群れ。記憶と想像の世界を自由に行き来する、不思議な少年だった。

独立美術協会展に入選したのは、一〇代の時。まだ抽象絵画を始める前の、二三歳の時の作品〈ぶどうとコップ〉には、実ったブドウがみずみずしく表現されている。

坂本は戦争の犠牲者であった。何度も兵役に駆り出された上に、空襲によって、それまで描きためた絵のほとんどを焼失してしまったのである。終戦を迎え、坂本は妻と子供たちを連れて熊本へ戻るが、絵はまったく売れず、画家としての自分に行き詰まりを感じていた。

そんな時、坂本が向かったのは、子供の頃から自分を包んでくれた阿蘇の大自然だった。毎日、外輪山に登り、朝から夕方まで、ひたすら、空から山肌、麓の町から自分の足元までを、繰り返し眺めた。そこに存在するあらゆる色やものの変化を凝視し続けたのである。描きたい気持ちを抑え、絵の道具は一切持っていかなかった。そこで気づいたことを、坂本自身、こう述べている。

「目の前の自然は頭のてっぺんから足の爪先まで連なって調和し、どうすることもできないような大きさと温かさで実在している。そんなある日、振り向くと後ろにも同じような風景があった。『等価値だな』と思った」

坂本の夫人・かつ子も、当時を振り返って言う。

「阿蘇は眺めることの方が多かったですね。描くよりも。絵のことでいえば、絵の虫でしたね。絵の鬼といったらいいかねぇ、絵の鬼でしたよ」

坂本は、ふと自分の背後にある存在に気づいた。自分を取

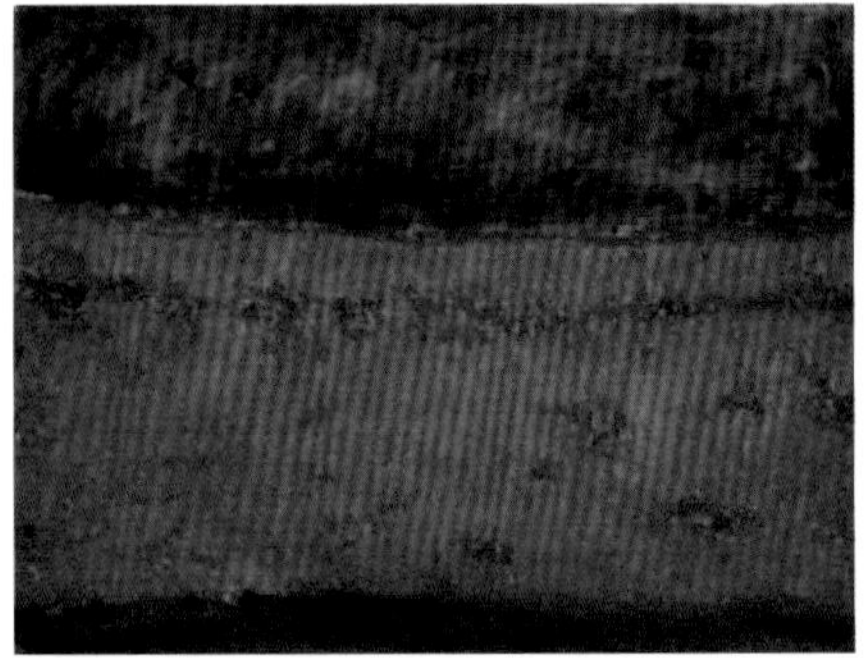

【上】〈城〉(坂本善三、1981年、油彩・キャンバス)
【左中】〈外輪〉(坂本善三、1956年、油彩・キャンバス)
【左下】〈春の阿蘇〉(坂本善三、油彩・キャンバス)
【右下】〈壁A〉(坂本善三、1959年、油彩・キャンバス)

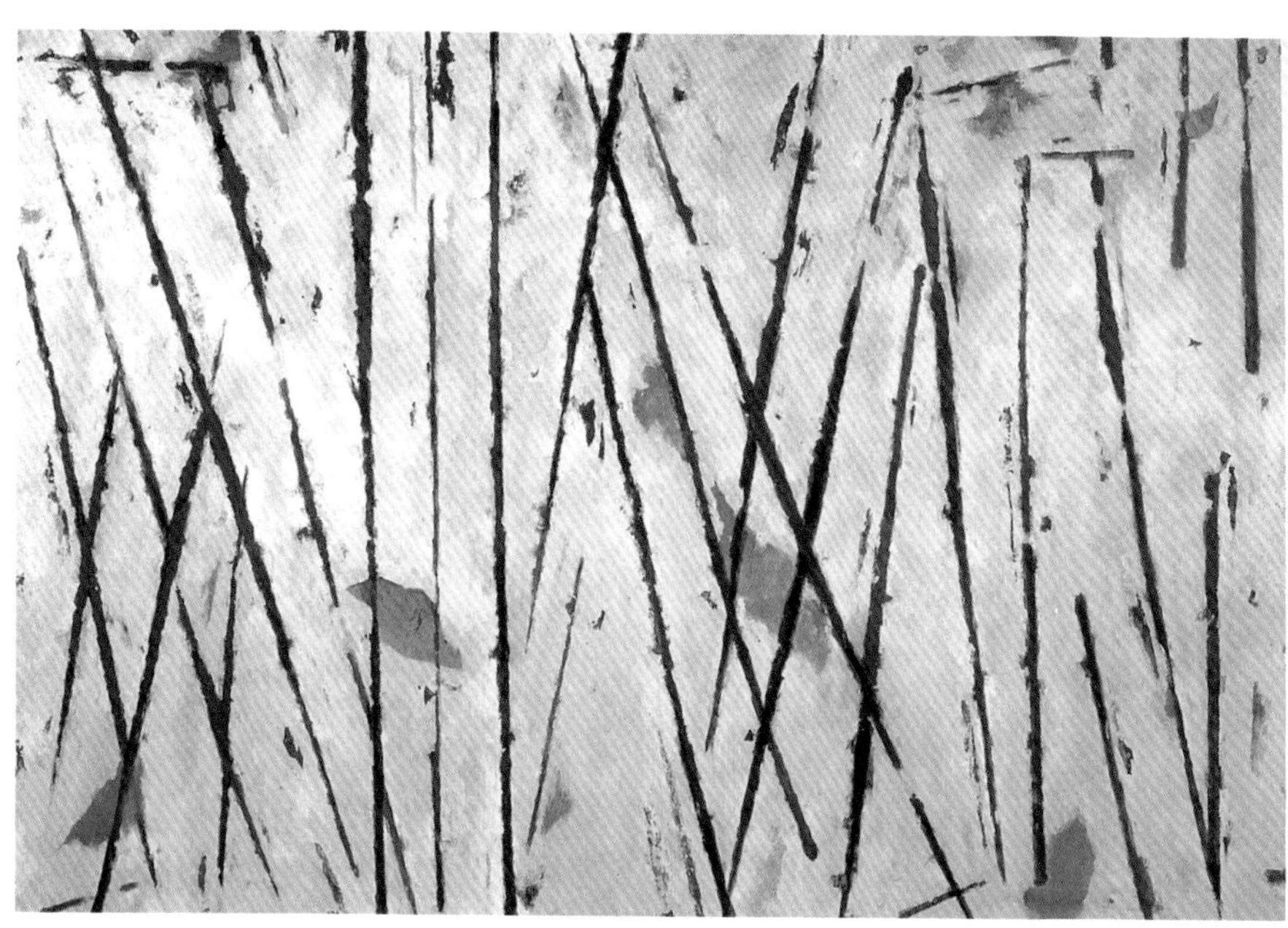
〈空間へ〉(坂本善三、1978年、油彩・キャンバス)

り囲む三六〇度すべてを描きたい。夕景の外輪山。赤く染まる空、山、ふもとの町が、次第に姿を消していく。坂本は、あえてそぎ落とすことで、見えていない存在や気配までも画面のなかに封じ込めようとした。

一九五七年(昭和三二)にパリへ渡った坂本は、石造りのゴツゴツとした建物の構造や、下町の汚れた壁の色など、建物の形や色に魅了された。毎日街へ出かけては、建物を観察し、描き続けた。やがて見たまま描いたスケッチから、窓は姿を消し、ただの形や色だけが残ってゆく。坂本の頭の中で壁をはがされた建物は、部屋の間取り図を見るように、柱や階段などの構造が露わに描かれている。

〈壁A〉(一九五九年)。抽象の世界に踏み込んだ初期の作品である。壁というへだたりを取り外し、外から見えないはずの世界を浮かび上がらせた。坂本は、そこに見えずとも確かに存在する、住んでいる人の気配を、色や形で表現している。

一九五九年、坂本は帰国してすぐに熊本城を訪れた。抽象画で日本を描きたい。規則的に並んだ白と黒のモノトーン。積み上げられた石垣の美しさ。パリから帰国後、歳月を経て、一つの抽象画が生まれた。〈城〉。どっしりとした城の構造の美しさは、太くしなやかな白い線に変わり、空間を埋め尽くす黒には、いにしえの人びとの気配が重なる。

坂本は、最晩年の一九八六年になって、パリで開かれたFIEST展で受賞し、フランスの有力紙「フィガロ」が〝沈黙の錬金術師〟と絶賛するなど、一躍脚光を浴びた。坂本の静かな画面には、光や影、リズムなど、あらゆる表現が生きている、と評価されたのである。

自作についてあまり語らなかった坂本が、後輩たちに語った音声が残っている。「ＦＩＡＣ（パリで開かれる国際現代アート見本市）の話、しようかな。ヨーロッパがかっていない、アメリカがかってもいない、そういわれたのがよかった、この部屋全部が日本だっていわれたのがよかった」

つまり、自分の絵が、ヨーロッパくさくも、アメリカくさくもなく、まさに日本そのものだ、と評価されたのを、坂本は喜んでいるのだ。後輩が、「先生は日本を意識して描いたのですか」と質問したのに対して、坂本はこう答えている。

「いや、考えない。考えなくても日本におる。考えたら出ないですよ。考えなくても日本人だし、日本に生活して、日本で感じている。熊本で感じている」

（ミューズの微笑み　ときめき美術館　二〇一〇年一一月二〇日放送）

美術館を旅する

抽象画家、阿蘇に帰る

坂本善三美術館を目指して、ＪＲ豊肥本線の阿蘇駅からバスに乗った。バスが阿蘇の山へ近づいていく。あたりは二〇一六年の地震で大きな被害を被ったところだ。小国町の「ゆうステーション」というバス停で降り、そこからタクシーに乗る。

坂本善三美術館は、このあたりの旧家のお屋敷という風情の建物で、母屋（古民家棟）の左手から手前に、南部の曲屋のように別棟が伸びていた。美術館というより、人の住まいに見える。もともとここにあった家ではなく、母屋は築一四〇年の古民家を小国の下城というところから移築したもの。展示棟と収蔵棟は新築だという。

美術館内は全館畳敷きになっていて、靴を脱いで上がる。母屋は古民家そのものの鑑賞を楽しむ場所になっている。坂本の作品は、玄関正面や玄関を入った通路、そして母屋に展示されている。独自の絵画的空間が形成されている〈空間へ〉（一九七八年）、白地の全面にかすれた格子が描かれている〈作品82〉（一九八二年）が印象に残る。

坂本は「グレーの画家」と称されているが、グレーは必ずしも色のないグレーではなく、坂本の場合は、さまざまな明るい色をたっぷりとはらんだグレーだ。また、パリにおいて彼は「東洋の寡黙」とも評されたというが、どの作品にも、その寡黙のなかに、デリケートな、優しさが溢れている点を見逃せないのである。

坂本と親交があった画家の三浦洋一が、坂本の画集に寄せた「熊本の坂本善三」のなかで次のように記している。

〈作品82〉(坂本善三、1982年、油彩・キャンバス)が展示されている館内

「いまでも『自分が生まれ、住んでいるところから出てくるものを描くほかに自分の表現は成りたたない』というように画家にとって熊本は表現の母体であった。『画面のどこか任意の一点から描きはじめて、いつの間にか了るような絵を描きたい』というように現代絵画の今日的な課題とは異質のもの、一種の文明批評の立場にあるということもできる。その作品に風土を感じる人も少なくないが、画家のイメージの根元と、それを肉付けしてきた造形の手だてからすると、画家自身が風土にほかならない。だからその作品は自己の流露であって風土に回帰したものではない」

(『坂本善三画集』エディション・ミツムラ、一九八五年)

バス停「ゆうステーション」までは、歩いて行くにはかなり遠い。それで、往路のタクシーの運転手さんに美術館の前で待っていてもらった。帰りの車のなかで、彼は、「小国にはよか杉がありますね」と、小国が良質な杉材の産地であることを教えてくれた。京都の北山杉のように、真っ直ぐに伸びる杉らしい。坂本善三美術館の隣は、鉾納社(ほこのみや)という杉の森に囲まれた神社で、その境内には、二本の大きな夫婦杉があるという。

自らの肉体を点描に捧げて。

瑛九と
宮崎県立美術館

宮崎県宮崎市船塚3-210　県総合文化公園内
(〒880-0031)
0985-20-3792

代表的なアクセス
JR日豊本線「宮崎神宮」駅下車、
タクシーで5分。もしくは徒歩約20分

この美術館の
ウェブサイト
はこちらから

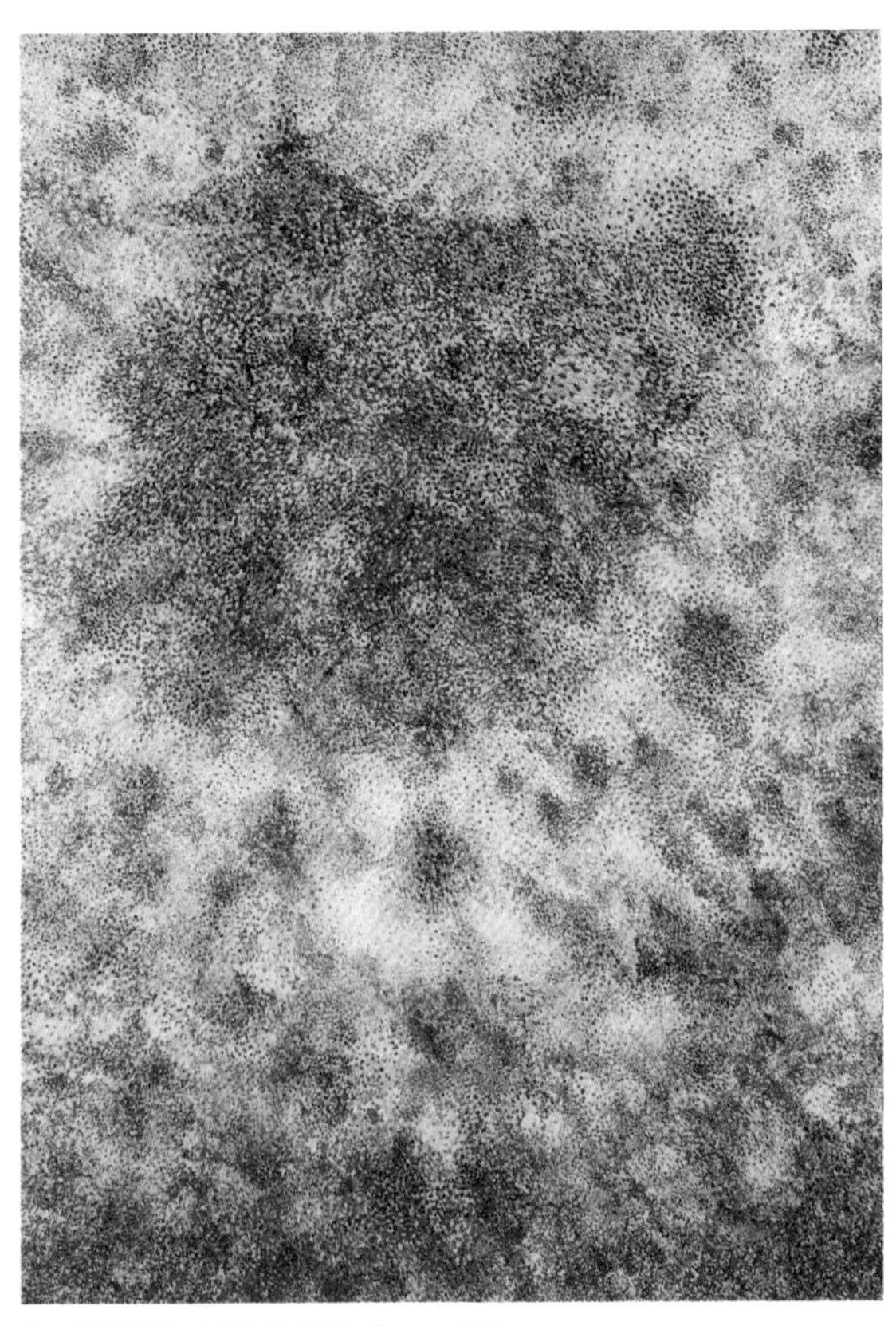

〈つばさ〉(瑛九、1959年、油彩・キャンバス)

絵は、命だ

瑛九（えいきゅう）は一九一一年（明治四四）、宮崎市で生まれた。本名は杉田秀夫。三七年（昭和一二）、自由美術協会の結成に加わり、フォトコラージュなどによるシュルレアリスム風の作品を発表し、戦前のアヴァンギャルドに鮮やかな足跡を残した。戦後はデモクラート美術協会を結成し、版画も手がけている。一九六〇年（昭和三五）、東京で没した。

一九九五年（平成七）放送の「日曜美術館」で、瑛九が死の前年に描き上げた二・五メートルの大作〈つばさ〉について、親交のあった画家・靉嘔（あいおう）が語った。〈つばさ〉は、点描による抽象画だ。

「死ぬ間際になって、点を、自分の肉体に置き換えたんだと思うんですね。肉片を切って、こう……。手が、すうーっとキャンバスに入るって、言うんですよ、彼はね。ですから、全部自分の肉体をそこに捧げて、でき上がったというようなことだと思うんです。でも、僕は考えましてね、点描をやった人は、みんな死んじゃうんですね、衰弱して。スーラがいい例ですね。僕も実際点描をやったことがあるんですけど、一つの作品を描くのに、二、三か月も四か月も、毎日一〇時間くらい働かないとでき上がらないんですね。こんなことやっていたら死んじゃうからっていうんで、僕はやめちゃいましたけど。瑛九は、本当に真面目に、自分の肉体を、肉片を、すべてのものを、その中に注ぎ込んだというふうに僕は思いますね。絵はやっぱり、デザインではないんですね。命なんですね。絵はデザインじゃない、命だって、彼は常に言ってましたけど、今でも言っていると思いますね」

（日曜美術館　一九九五年二月一九日放送）

美術館を旅する

宮崎の前衛

宮崎県立美術館はJR宮崎駅から三キロほど北西に位置している。最寄駅のJR宮崎神宮駅からはおよそ一・五キロの文化公園のなかにある。平成になってから完成した新しい公園で、美術館も一九九五年（平成七）の開館。建物は、白い方形の大理石を組み合わせたような、白亜の現代建築である。

東側から入館すると、正面に三階建ての美術館があり、左手にはメディキット県民文化センター、右手には県立図書館のシックな建物が、それぞれ石畳の大きな広場を囲んで建っている。ヨーロッパの都市でよく見かける、古くからの宮殿や庁舎に囲まれた広場の景色によく似ている。広場の主役は、美術館だ。美術館は、中央にガラス張りの部分は覗かせているものの、その左右をすっかり窓のないボードのような壁に覆われ、まるで白い要塞のようだ。

反対の西側にまわると、建物の表情がまったく異なっていた。西側は複雑な建物の構造を見せ、いかにも人を招き入れようとするような開放的な空間をつくっている。建物の前は、樹木に囲まれた広い芝生の公園になっている。

館内は一階と二階に展示室が設けられている。そのうちの一階の「展示室3」が瑛九展示室だ。ここでは、クリスタルのような奥行きをもつ〈街〉(一九四七年)、フォト・デッサンの手法を用いた〈Visitors to a Ballet Performance〉(一九五〇年)、鳥の形態を分解して再構成した〈鳥〉(一九五六年)、そして絶筆の〈つばさ〉(一九五九年)などの代表作によって、早逝した前衛画家の足跡をたどることができる。

瑛九は、ほぼ生涯にわたって、故郷の宮崎市と東京をはじめとする大都市との間を、振り子のように行き来していた。そしてめまぐるしく、次々に新しいものに関心を示している。少年時代から青年期だけをみても、一四歳で上京し、日本美術学校洋画科に入学したが、二年後には退学し、美術評論、次いで写真評論に熱中する。二三歳の時に宮崎に帰り、油絵を描く傍ら、今度はエスペラント語に興味をもった。二五歳頃からは、東京の個展でフォト・デッサンを発表するなど、ようやく作家生活らしきものに入ったように見えたが、二年後には、宮崎で急に「寂音」という号を用いて水墨画を描き、俳句をつくり、静坐に親しむ生活を始める。

そんな青年時代の瑛九が、二九歳の頃に友人宛ての手紙のなかで、尾崎放哉の俳句のこと、渡辺崋山のこと、ロシアの詩人プーシキンの詩を読んだことなどを述べた後に、こんなことを書いている。

「京都で近世日本画をみた。光悦時代の面白い筆者不明のべうぶや、元ろく風俗のべうぶや、宮本二天のダルマや鳥。浦上玉堂に感心したが、ひどく生理的に洋画の傑作がみたくなって弱った」(山田光春『瑛九 評伝と作品』青龍洞、一九七六年)

この一見天邪鬼とも取れる言動が、瑛九にあっては、批判精神となって作品のうえに表れたのだろう。

瑛九が、二〇〇号の大作〈つばさ〉の制作に取りかかったのは一九五九年(昭和三四)一〇月。一一月に腎臓の衰弱による激しい腹痛で入院したが、一二月に退院すると、自宅療養をしながら少しずつ絵筆を握り、完成させた。

〈つばさ〉の無数ともいえる細かな点は、見ていると動き始め、見る者を作品の中に包みこんでいく。

【上】〈街〉(瑛九、1947年、油彩・キャンバス)
【下】〈鳥〉(瑛九、1956年、油彩・キャンバス)

一村の聖地は奄美にあり。

田中一村
記念美術館

鹿児島県奄美市笠利町節田1834　鹿児島県奄美パーク内
(〒894-0504)
0997-55-2635

代表的なアクセス
奄美空港から
「こくしゅ第１公園」行きバスで５分
「奄美パーク」下車

この美術館の
ウェブサイト
はこちらから

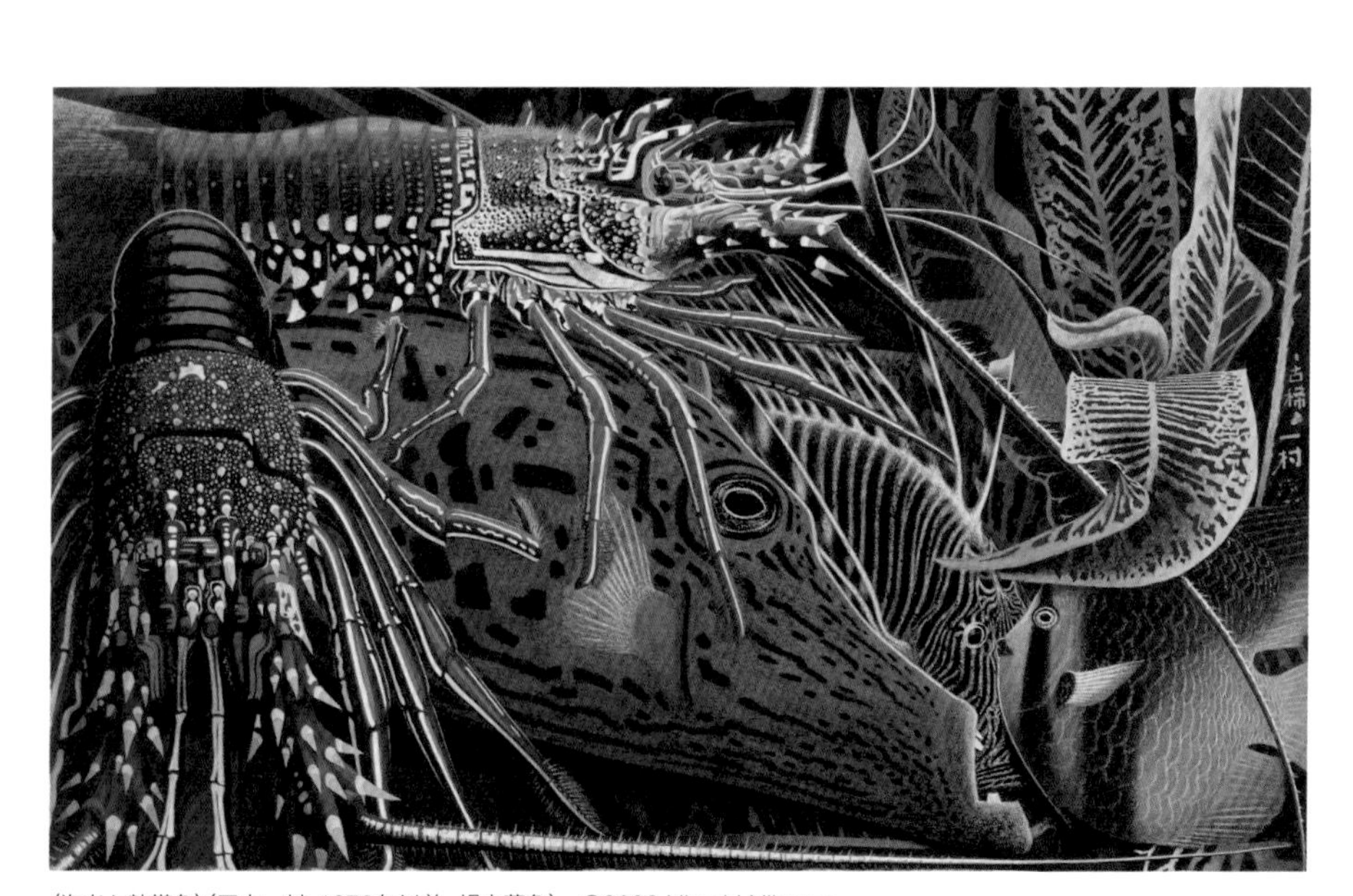

〈海老と熱帯魚〉(田中一村、1976年以前、絹本著色)　©2020 Hiroshi Niiyama

絵をかきたい

田中一村は一九〇八年（明治四一）栃木県に生まれた。本名は孝。父は稲村の号をもつ彫刻家。五歳の時に一家で東京に移住。七歳の時、父から米邨の号を与えられる。一二六年（大正一五）、東京美術学校（現・東京藝大）に入学するも（同期に加藤栄三、橋本明治、東山魁夷等がいた）二か月で中退。二〇代で三人の弟と父母を次々に失うが、精力的に南画を制作。三〇歳で祖母と姉妹とともに千葉市に移住。農業で自給自足の生活をしながら、琳派調の花鳥画を描く。三九歳の時、画号を柳一村と改めて描いた〈白い花〉（一九四七年）が青龍社展入選。翌年、今度は田中一村の名で〈秋晴〉を出品し、その後五三年（昭和二八）、五四年には日展に挑戦したがいずれも落選。五五年には、九州、四国、紀州を巡る旅に出て、その成果〈岩戸村〉を五八年の院展に出品。しかし落選。奄美行きを決意し、家を売り背水の陣で旅立つ。当初は「奄美にしばらく居てのち屋久島に渡り、さらに北を目指したい」と語っていた。奄美では、大島紬の工場で摺り込みの仕事に従事。そして南国の自然をモチーフに新しい日本画を探究。これまでにない独自の絵画を生み出した。一九七七年（昭和五二）、奄美の地で六九歳の生涯を閉じた。

一九八四年（昭和五九）放送の「日曜美術館」は、五〇歳の時にすべてを捨てて奄美に渡り、奄美で描き、奄美に死した無名の画家一村を発掘して、ブームを巻き起こした。

五八年一二月、一村は二通の紹介状を持って奄美大島に到着。「国立療養所奄美和光園」に赴任していた小笠原登医師を訪ねた。療養所の芳名録には、「十二日未明　船上より初めて黒き奄美の姿を見る　遙けくも来つる哉の思ひあり昭和三十三年十二月十七日　和光園にて　田中孝」と書き残されている。和光園はこの珍しい客を歓待し、小笠原医師の官舎に寄宿するよう計らった。

南国の自然は一村を虜にした。早朝の名瀬港に水揚げされる熱帯魚の色鮮やかなデザインとフォルム。市場に並ぶエラブチやエビ。購入して持ち帰り、鱗をピンセットではがしながら虫眼鏡で観察した一村は、エビのトゲや模様が個体によって違うことを掌握する。徹底して観察しなければ正しい絵は描けないという持論のもと、手が覚えるまでスケッチを繰り返してでき上がったのが、〈海老と熱帯魚〉（一九七六年以前）だった。

六一年、一時帰省の千葉から戻った一村は、名瀬市有屋に家を借り、翌六二年の夏から隣の大熊集落にある大島紬の工場で働きはじめた。

「私は紬工場に染色工として働いて居ます　有数の熟練工として日給四百五十円也、誠に零細ですが、それでも昭和四十二年の夏ごろまで働けば三年間の生活費と絵具代が拈出出来ると思はれます　そして私のゑかきとしての最終を飾る立派な絵をかきたいと考へて居ます。（中略）工場の昼休みに十二月十六日」（一九六二年　川村幾三宛の書簡）。

五年働けば三年分の生活費と絵具代が作れる。一村は、蓄えができたら工場を休んで、蓄えが尽きるまで絵に没頭したいと考えていたのだ。（日曜美術館　一九八四年一二月九日放送）

六七年の夏ごろからという計画だったが、実際には六七年の年初から一村は創作を開始した。

「（前略）私正月より一日も休まず絵をかいて居りますが、七月になってやっと五か年の空白を埋めて軌道に乗りました。この生活は昭和四四年末まで続ける計画ですが、三ケ年もの間オカネの心配もなく何にも掣肘されず絵の研究が出来るなんて、わたしの生涯には未だ嘗て無かったことです。運命の神のこの大きな恵みに感謝して居ます。これが私の絵の最終かと思はれますが悔はありません。旅行して視察写生して画室に帰って描くのに比すれば、材題の中で生活して居ることは実に幸福です」（一九六七年　岡田藤助宛の書簡）

二〇一〇年の「日曜美術館」は、一村の作品に見られる逆光のとらえ方がどこから来ているのかを考察した。奄美在住の写真家・濱田康作が言う。「単なる目線の問題ではなく、一村は、奄美の人々の心の深層部にある自然観・宗教観を享受して、それを作品に反映しているのだと思います」。

一村にゆかりのある名瀬市の柳町（一村が最初に下宿したところ）、有屋、大熊、和光（和光園のある地区）などは、いずれも三方を山に囲まれ奥まっている。そこには、暗く、「いじゅんご」（湧水）が湧き、クワズイモが生える聖地がある。こうした聖地が奄美のあちこちにある。「いじゅんご」からは海に向かって「神道（かみみち）」が延びる。一村が「これは私の命を削った絵で　閻魔大王え（ママ）の土産品」（一九七四年）と知人への手紙のなかで書いた代表作〈不喰芋（くわずいも）と蘇鐵（そてつ）〉（一九七三年以前）は、まさにそのことを意識している作品だと濱田は述べた。（日曜美術館　二〇一〇年九月一二日放送）

美術館を旅する

南の島の奇跡の画家

田中一村記念美術館は、旧奄美空港の跡地に創設された鹿児島県奄美パークの一角に建っている。奄美パークは、大きなドーム屋根の展示ホール「奄美の郷」と、その展示ホールと屋根つきの通路でつながっている田中一村記念美術館、海側のはずれにある展望台が主な施設である。

園内は植物園のような趣である。オオハマボウ、ハマイヌ

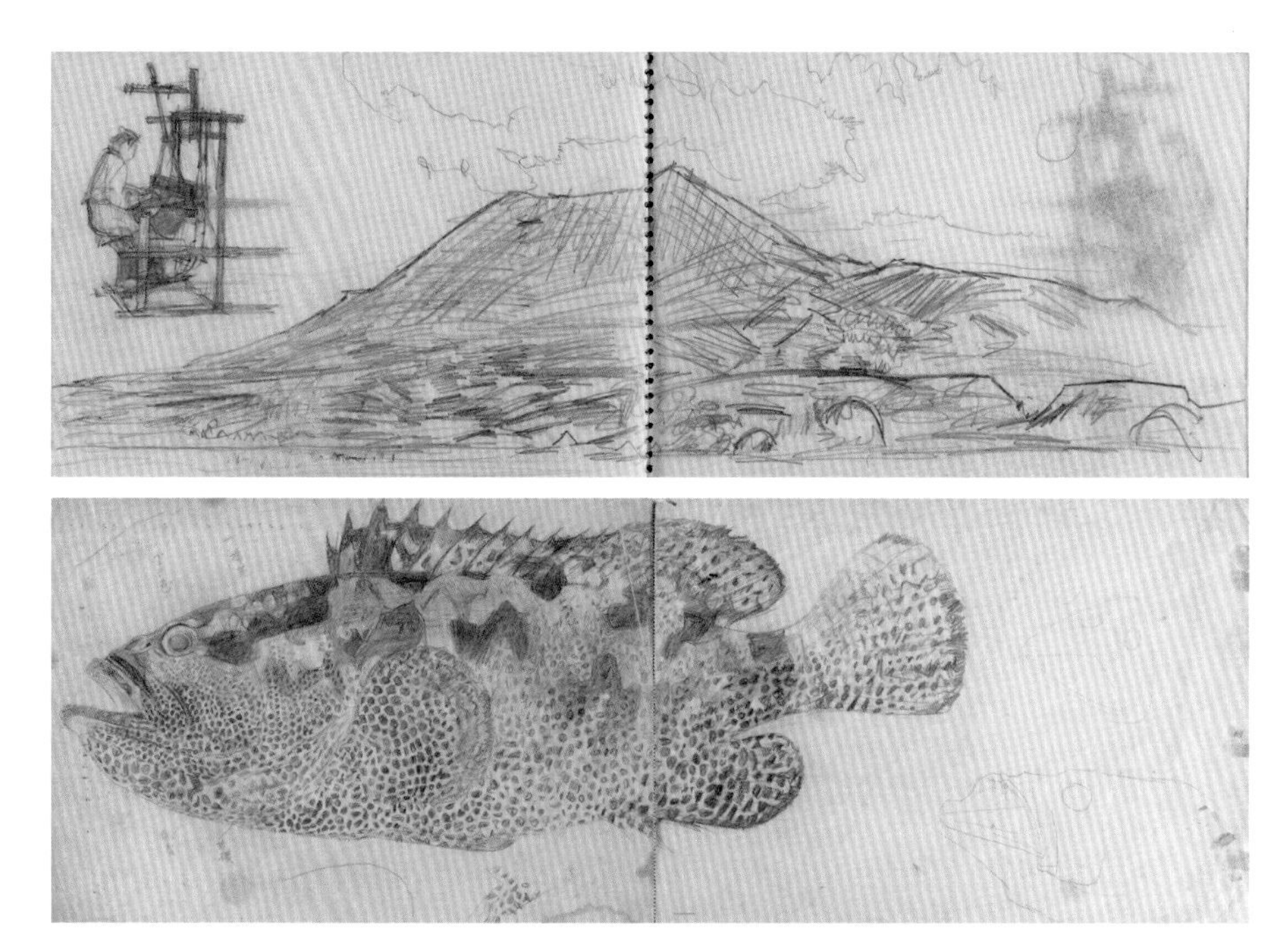

「スケッチ」(桜島と大島紬の機織り機)と「写生図」(ハージン、金目鯛ほか) ©2020 Hiroshi Niiyama

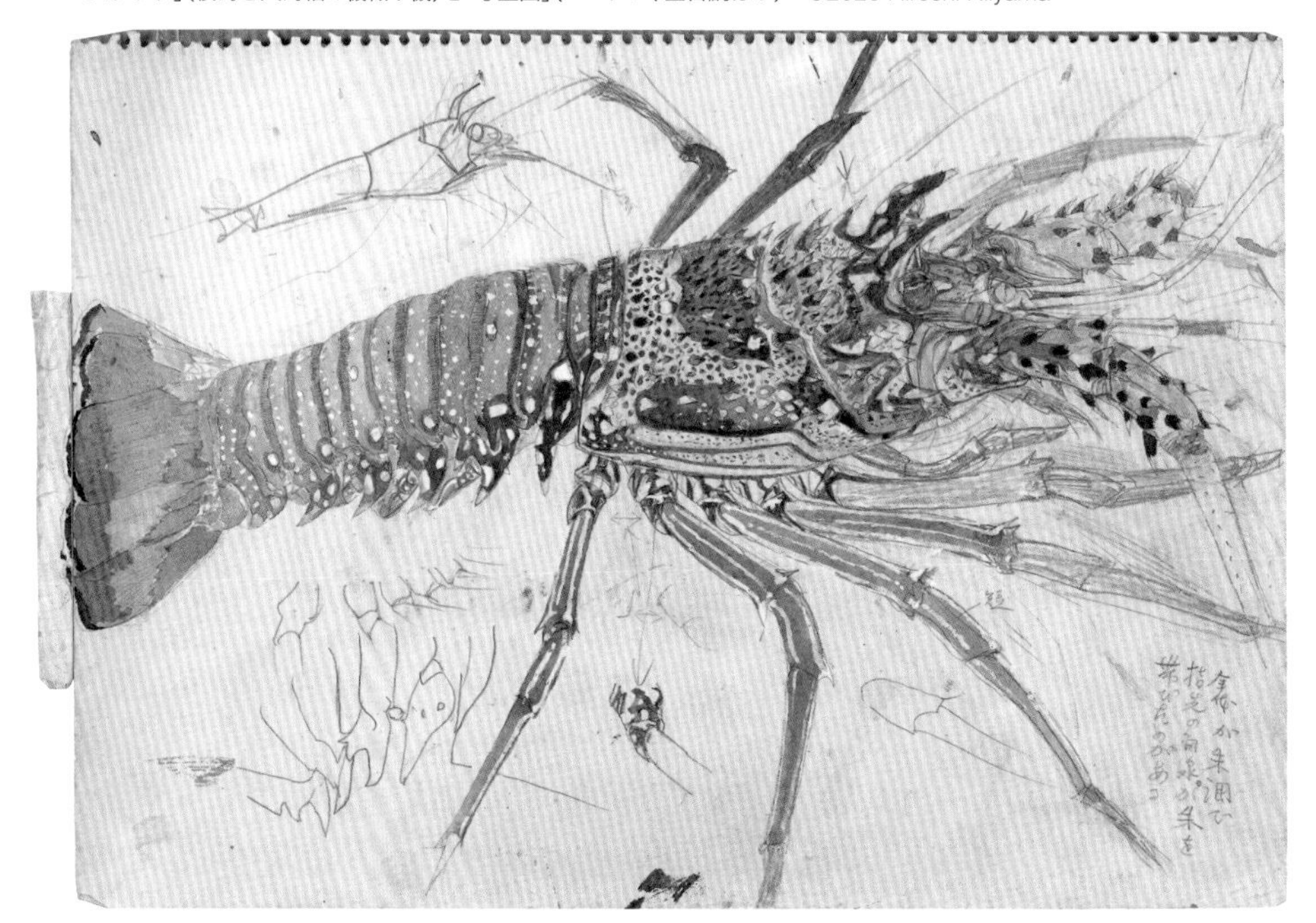

「写生図」(五色海老) ©2020 Hiroshi Niiyama

〈初夏の海に赤翡翠〉（田中一村、1962年頃、絹本墨画著色）

〈不喰芋と蘇鐵〉（田中一村、1973年以前、絹本著色）

〈白い花〉(田中一村、1947年、紙本著色、二曲一隻)　©2020 Hiroshi Niiyama

鹿児島県奄美パークの「奄美の郷」(ドーム屋根)と「田中一村記念美術館」(手前の３つの屋根)

ビワといった広葉樹、オキナワハイネズ、丸い実のなったビヨウタコノキなど根元が無数に分かれている木、葉の色がルビーのように美しいクロトン、幹が白っぽいオオバアカテツ、クロヨナ、針葉樹のモクマオウなど、みんな珍しい。こういう植物を見て歩いていると、陽射しも、あたりの空気も含めて、ここが奄美であることが真っすぐに伝わってくる。

田中一村記念美術館は、浅いプールの上に、高床式の丸い屋根の建物が三つ斜めに並んでいる。これは奄美の伝統的な高倉（高床式倉庫）の建物を模したものという。丸屋根の三棟に、平たい屋根の建物一つが加わったのが、美術館の全容だ。

はじめの二棟に一村の奄美での作品が展示されている。特に二棟目に、〈初夏の海に赤翡翠〉（一九六二年頃）、〈海老と熱帯魚〉（一九七六年以前）といった代表作がまとまっている。これらの絵は、奄美の植物、花、鳥、魚介などを、完全に一村流につかまえている。奄美の自然をモチーフにした一村ワールドをつくり上げているのである。同じく代表作の〈不喰芋と蘇鐵〉（一九七三年以前）は、画面全体を埋め尽くす植物の隙間から名瀬湾のシンボル「立神」が見える。神の憑代として古くから信仰の対象であり、航行の指標ともなった岩だ。この絵について、美術評論家の大矢鞆音が次のように述べる。

「一村の立ち位置が常に境界（境目）にあり、此処から向こうを見つめていたことを想起させる。（中略）葉の隙間が覗き窓のような効果を生み、植物の隔てによって手前と向こうの分かれ目を作る。こちらとあちらの境界がそこにある。（中略）この構図は作者一村の外（彼方）への強い想い、願望、憧れといったものがにじみ出ているように感じられるのである」

（大矢鞆音監修『田中一村作品集』［増補改訂版］ＮＨＫ出版、二〇一三年）

三棟目には、一村の千葉時代の作品が展示されている。〈農家の庭先〉（一九五三年頃）、〈黒牛〉（一九五三－五四年頃）など、どこか小川芋銭や酒井三良を思わせるようなのどかな農村風景がかなり見られるのだが、一村は奄美ではこうした画題にはあまり関心を示さなかったようだ。一村は、奄美に来て、魚や植物に、強く魅せられてしまったのだ。

四棟目には一村の描いた屏風などが展示されている。この部屋で注目されるのは、一九四七年（昭和二二）に青龍社展に入選した〈白い花〉である。奄美時代の作品につながるものを、一村がすでに千葉時代に持っていたことを物語っている。

美術館の外には、一村の絵を実際の植物で再現した「一村の杜」がある。絵のパネルが立ち、見る方向も指示されている。ドーム屋根の展示ホール「奄美の郷」には、奄美の自然や歴史、人びとの昔からの暮らしぶりが人形などで再現展示されている。展望台（地上五階建て相当の高さ）に上ってみると、年配の男性が一心に絵を描いていた。

そこから見えるのは、奄美の家並みと畑と海である。

1 札幌芸術の森野外美術館
2 本郷新記念札幌彫刻美術館
3 神田日勝記念美術館
4 木田金次郎美術館
5 青森県立美術館
6 棟方志功記念館
7 常田健 土蔵のアトリエ美術館
8 秋田県立美術館
9 山形美術館
10 土門拳記念館
11 酒田市美術館
12 岩手県立美術館
13 宮城県美術館
14 益子陶芸美術館
15 濱田庄司記念益子参考館
16 群馬県立近代美術館
17 茨城県近代美術館
18 茨城県天心記念五浦美術館
19 河鍋暁斎記念美術館
20 原爆の図 丸木美術館
21 千葉市美術館
22 横浜美術館
23 横須賀美術館 谷内六郎館
24 鎌倉市鏑木清方記念美術館
25 真鶴町立中川一政美術館
26 アーティゾン美術館
27 ミュゼ浜口陽三·ヤマサコレクション
28 三井記念美術館
29 日本民藝館
30 根津美術館
31 岡本太郎記念館
32 山種美術館
33 太田記念美術館
34 平山郁夫シルクロード美術館
35 碌山美術館
36 安曇野ちひろ美術館
37 長野県信濃美術館 東山魁夷館
38 新潟県立近代美術館
39 富山県水墨美術館
40 石川県立美術館
41 福井県立美術館

日本の名画・名品を訪ねて

旅する日曜美術館 MAP

[北海道・東北・関東・甲信越・北陸] ……1 ～ 41

[東海・近畿・中国・四国・九州] …………42 ～ 77

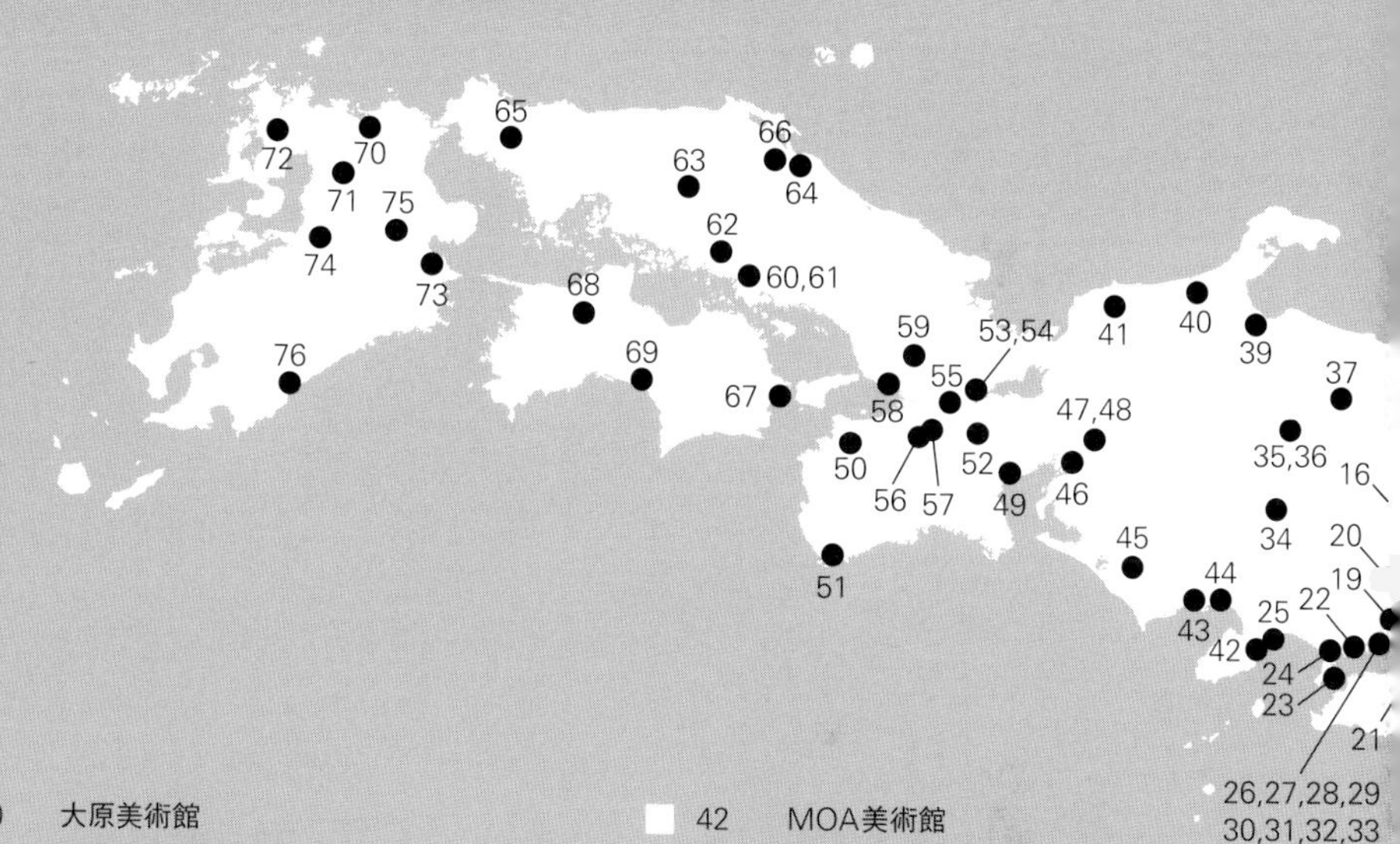

60 大原美術館
61 倉敷市立美術館
62 井原市立田中美術館
63 奥田元宋·小由女美術館
64 植田正治写真美術館
65 山口県立美術館
66 足立美術館
67 徳島県立近代美術館
68 町立久万美術館
69 高知県立美術館
70 福岡県立美術館
71 久留米市美術館
72 佐賀県立九州陶磁文化館
73 大分県立美術館
74 熊本市現代美術館
75 坂本善三美術館
76 宮崎県立美術館
77 田中一村記念美術館

42 MOA美術館
43 静岡市立芹沢銈介美術館
44 静岡市東海道広重美術館
45 浜松市秋野不矩美術館
46 愛知県美術館
47 稲沢市荻須記念美術館
48 一宮市三岸節子記念美術館
49 三重県立美術館
50 和歌山県立近代美術館
51 串本応挙芦雪館
52 MIHO MUSEUM
53 白沙村荘 橋本関雪記念館
54 何必館·京都現代美術館
55 アサヒビール大山崎山荘美術館
56 大和文華館
57 松伯美術館
58 神戸市立小磯記念美術館
59 清荒神清澄寺 鉄斎美術館

ふ

ま

み

む

も

う

え

お

索引

本書に登場する美術作家と、作家や作品に向き合ってコメントを残した人たちの索引です。

斜体の見出語は人名ではなく項目名称です。

美術作家名に続けて記した作品名は、本書に画像を掲載しているものを示しています。

［　　　］はその作品の所蔵先です。

あ

い

参考文献

石橋正二郎『私の歩み』1962年
内山武夫＋足立美術館学芸部『足立美術館（カラーブックス713）』保育社、1986年
NHK「美の壺」制作班編『NHK美の壺 古伊万里 染付』NHK出版、2006年
大矢鞆音監修・解説『田中一村作品集［増補改訂版］』NHK出版、2013年
奥田元宋『山燃ゆる 奥田元宋自伝』日本経済新聞社、2001年
兜屋画堂『村山槐多遺作展覧会目録』1919年
「季刊美術誌 求美」第11号・第12号・第15号、求美編集室、1972～1973年
菊池芳一郎編『高山辰雄〈現代美術家シリーズ〉』時の美術社、1967年
錦江山無量寺・串本応挙芦雪館『ようこそ無量寺へ―応挙・芦雪の名作ふすま絵』図録、2011年
小池邦夫編『香月泰男の絵手紙』二玄社、2003年
高知県立美術館ほか編『日和崎尊夫―闇を刻む詩人 木口木版画の世界』1995年
座右宝刊行会『現代日本美術全集6 福田平八郎』集英社、1973年
佐賀町エキジビット・スペース『秋野不矩 インド』図録、1992年
坂本善三『坂本善三画集』エディション・ミツムラ、1985年
坂本繁二郎『私の絵 私のこころ』日本経済新聞社、1969年
清水久夫『土方久功正伝―日本のゴーギャンと呼ばれた男』東宣出版、2016年
十返舎一九『東海道中膝栗毛 上』岩波文庫、1973年
妹尾河童『少年H 上巻』講談社文庫、1999年
そごう美術館ほか編『生誕110年 芹沢銈介展』図録、2005年
町立久万美術館『造形思考の軌跡―森堯茂 彫刻の70年』創風社出版、2007年
「テオリア vol.8」コクヨ、1999年
日本経済新聞社編『私の履歴書 文化人7』日本経済新聞社、1984年
橋本関雪著、橋本節哉編『白沙村人随筆』中央公論社、1977年
「花美術館」第41号、花美術館、2015年
尾西市三岸節子記念美術館ほか『三岸節子・秋野不矩展―大地と生命へのオマージュ』図録、2001年
三田英彬『異端・放浪・夭逝の画家たち』蒼洋社、1988年
村松和明『真実の眼―ガランスの夢　村山槐多全作品集』求龍堂、2019年
安井曾太郎＋嘉門安雄『講談社版日本近代絵画全集 第6巻 安井曾太郎』講談社、1962年
柳宗悦『柳宗悦全集 著作篇 第8巻 工芸の道』筑摩書房、1980年
山下菊二『くずれる沼―画家・山下菊二の世界』すばる書房、1979年
山田光春『瑛久 評伝と作品』青龍洞、1976年
「大和文華」第1号、大和文華館、1951年
和歌山県立近代美術館ほか『田中恭吉展』図録、2000年

協力

愛知県美術館
アサヒビール大山崎山荘美術館
足立美術館
一宮市三岸節子記念美術館
稲沢市荻須記念美術館
井原市立田中美術館
植田正治写真美術館
MOA美術館
大分県立美術館
大原美術館
奥田元宋・小由女美術館
何必館・京都現代美術館
清荒神清澄寺 鉄斎美術館
串本応挙芦雪館
熊本市現代美術館
倉敷市立美術館
久留米市美術館
高知県立美術館
神戸市立小磯記念美術館
佐賀県立九州陶磁文化館
坂本善三美術館
静岡市東海道広重美術館
静岡市立芹沢銈介美術館
松伯美術館
田中一村記念美術館
町立久万美術館
徳島県立近代美術館
白沙村荘 橋本関雪記念館
浜松市秋野不矩美術館
福岡県立美術館
三重県立美術館
MIHO MUSEUM
宮崎県立美術館
山口県立美術館
大和文華館
和歌山県立近代美術館

資料提供

アーティゾン美術館
岡山県立美術館
京都国立近代美術館
東京国立博物館
兵庫県立美術館
兵庫県立兵庫高校
広島県立美術館
無量寺

デザイン ―――――――――――― 岡本洋平(岡本デザイン室)
取材・構成 ―――――――――――― 磯辺 勝
組版 ―――――――――――― 田中 楽+田中佑加子(ドルフィン)
滝川裕子
イラスト ―――――――――――― 岩神カオル
コピーライティング・編集協力 ―― 髙橋 洋(ブリッジ・コミュニケーションズ)
校正・編集協力 ―――――――――――― 手塚貴子
協力 ―――――――――――― 倉森京子　加藤満喜　桝本孝浩　石田健祐
NHKエデュケーショナル
編集 ―――――――――――― 新井 学　神林尚秀

*

帯の写真(オモテ)
【静岡】相模湾を望む「MOA美術館」のロビー(2012年4月撮影/ PIXTA)
帯の写真(ウラ)
【鳥取】「植田正治写真美術館」の最寄りのバス停(2017年3月撮影/ PIXTA)

NHK「日曜美術館」

「日曜美術館」は1976年（昭和51）4月11日にNHK教育テレビ（現・Eテレ）で放送が始まった。第1回のテーマは「私と碌山 荻原守衛」。1997年（平成9）4月から番組タイトルが「新日曜美術館」に変わったが、2009年4月に「日曜美術館」に復した。2015年には番組開始40年を記念して「日美40キャンペーン」を行い、全国各地の美術館と連携した企画や番組を展開。2020年4月に45年目を迎えた。連綿と続く番組の放送回数は2200回を超える。
番組ホームページ　https://www.nhk.jp/p/nichibi/

日本の名画・名品を訪ねて
旅する日曜美術館　東海・近畿・中国・四国・九州

2020年10月25日　第1刷発行

編者　NHK「日曜美術館」制作班
発行者　森永公紀
発行所　NHK出版
東京都渋谷区宇田川町41-1　郵便番号 150-8081
電話　0570-009-321（問い合わせ）
0570-000-321（注文）
ホームページ　https://www.nhk-book.co.jp
振替　00110-1-49701
印刷・製本　図書印刷

ISBN978-4-14-081737-7 C0070

日本の名画・名品を訪ねて

旅する日曜美術館

NHK「日曜美術館」制作班 編
全2巻

「日曜美術館」が紹介してきた、各地の美術館の珠玉の美。
「日曜美術館」が紡いできた、美に迫る珠玉の言葉。
NHKの豊かなアーカイブスをもとに、
日本全国の美術館を訪ねる
とっておきの旅。

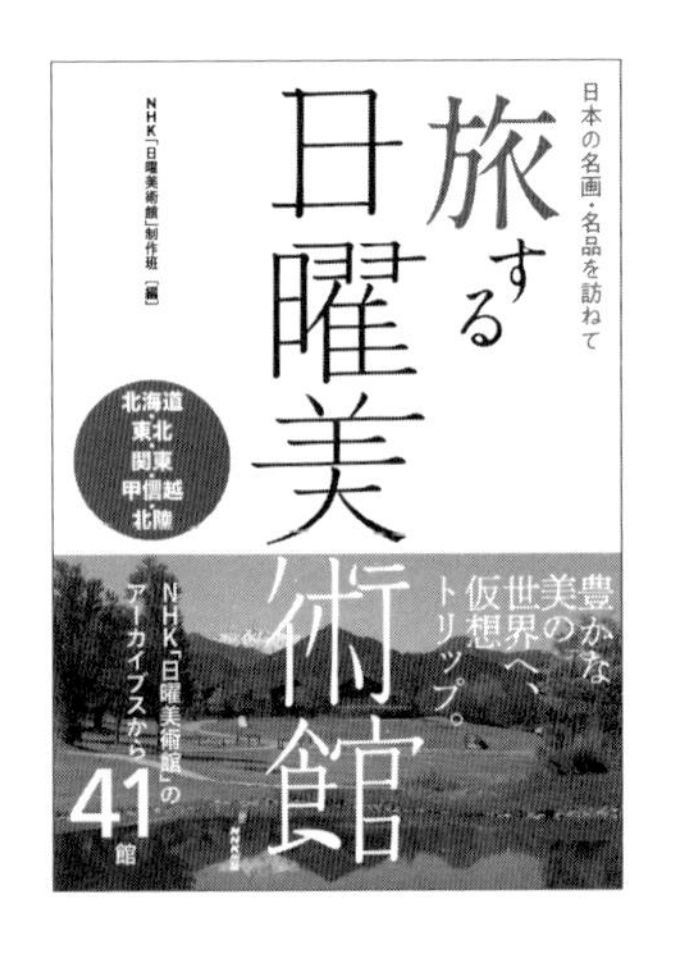

「北海道・東北・関東・甲信越・北陸」編は
41の美術館を訪ねます！